INDICE

	Pag. #
.- Introducción	I
.- Requisitos para adquirir la Ciudadanía Américana	II
.- Abecedario Transliterado	III
.- Las 100 Preguntas y Respuestas de Historia y Gobierno de USA.	1-141
.- Juramento de Lealtad	142-143
.- Promesa de Lealtad a la Bandera	144
.- Preambulo a la Constitución	145
.- Preguntas Generales	146
.- La Forma N-400	147-152
.- La Tarjeta de Huellas Dactilares	153
.- La Forma G-325 A (Hoja de Informacion Biográfica)	154

INTRODUCCIÓN

Felicidades y bienvenidos a Ciudadanía Americana, Ingles en Español.

Audio Visual Language Inc., es una Empresa establecida desde 1978 dedicada a la enseñanza y divulgación de los idiomas; aplicando un gran enfásis a la creación de sistemas prácticos, fáciles y rápidos en oposición a los sistemas tradicionales con grandes complicaciones gramaticales.

En Ciudadanía Americana Inglés en Español se ha aplicado la técnica de transliteración, que en este caso no es más que la representación de los sonidos del idioma inglés con los símbolos o letras del Alfabeto Castellano, de forma tal que leyendo la pronunciación como si fuera Español estará hablando Inglés.

Esto facilita en gran modo el aprendizaje y memorización de las preguntas y respuestas que a su vez con la práctica, perfeccionará su pronunciación.

Es importante que tenga presente que este libro sólo pretende ayudarlo a que le sea más fácil y ameno la preparación para adquirir la tan ansiada Ciudadanía Americana, pero que debe estar consciente que uno de los requisitos para ser Ciudadano de USA., es que Usted pueda hablar, leer y escribir Inglés, por lo que no es solamente que aprenda de memoria las preguntas de Historia y forma de Gobierno de USA.

Por nuestra convicción de la importancia de dominar el idioma Inglés es que nuestra Empresa ha producido variados programas de aprendizaje con la seguridad de que alguno se ajusta a su necesidad y condición personal llevandolo al logro del dominio del idioma Inglés, de forma tal que pueda complementar la felicidad de ser Ciudadano de los Estados Unidos y sentir el orgullo de dominar la lengua del País que lo ha adoptado.

Permítanos manifestarle, que el haber seleccionado Ciudadanía Americana Inglés en Español, como el vehículo que lo llevará a obtener el logro propuesto de convertirse en Ciudadano de USA., ya de por sí nos llena de felicidad por que hemos podido cumplir nuestro objetivo de ayudarlo a Ud., que es la persona más importante para nuestra Empresa.

Gracias y bienvenido a nuestra familia y sobre todo que aproveche su inversión.

AUDIO VISUAL LANGUAGE

REQUISITOS PARA ADQUIRIR LA CIUDADANÍA AMERICANA

.- Haber cumpido 18 años de edad.

.- Haber sido Residente Permanente de los Estados Unidos por 5 años consecutivos, o por 3 años si su cónyuge es Ciudadano Americano.

.- Poder Hablar, Leer y Escribir en Inglés

.- Tener conocimiento básicos de La Historia y Forma del Gobierno de Estados Unidos.

.- No haber sido convicto de ningún delito grave.

.- No haber evadido el Servicio Selectivo Militar.

ABECEDARIO	TRANSLATION
A	(éi)
B	(bi)
C	(sí)
D	(dí)
E	(i)
F	(ef)
G	(yí)
H	(éich)
I	(ái)
J	(yéi)
K	(kéi)
L	(él)
M	(ém)
N	(én)
O	(óu)
P	(pí)
Q	(kiú)
R	(ar)
S	(es)
T	(tí)
U	(iú)
V	(ví)
W	(dobliú)
X	(ex)
Y	(uaí)
Z	(zzdí)

• QUESTION # 1 • PREGUNTA # 1

INGLÉS

WHAT ARE THE COLORS OF OUR FLAG?

PRONUNCIACIÓN

UÁT AR DE KÓLORS OF OUR FLÁG?

What
uát

What are
uát ar

What are the
uát ar de

What are the colors
uát ar de kólors

What are the colors of
uát ar de kólors ov

What are the colors of our
uát ar de kólors ov áuar

What are the colors of our flag?
uát ar de kólors ov áuar flág?

ESPAÑOL

¿CUÁLES SON LOS COLORES DE NUESTRA BANDERA?

• ANSWER # 1 • RESPUESTA # 1

INGLÉS

RED, WHITE AND BLUE

PRONUNCIACIÓN

RED, UÁIT AND BLÚ

Red
red

Red, white
red, uáit

Continúe..........

Red, white and blue
red, uáit and blú

ESPAÑOL

LOS COLORES DE NUESTRA BANDERA SON ROJO, BLANCO Y AZUL

• QUESTION # 2 • PREGUNTA # 2

INGLÉS

HOW MANY STARS ARE THERE IN OUR FLAG?

PRONUNCIACIÓN

JÁU MÉNI STÁRS AR DÉAR IN ÁUAR FLAG?

How
jáu

How many
jáu méni

How many stars
jáu méni stárs

How many stars are
jáu méni stárs ar

How many stars are there
jáu méni stárs ar déar

How many stars are there in
jáu méni stárs ar déar in

How many stars are there in our
jáu méni stárs ar déar in áuar

How many stars are there in our flag?
jáu méni stárs ar déar in áuar flag?

ESPAÑOL

¿CUÁNTAS ESTRELLAS HAY EN NUESTRA BANDERA?

Continúe..........

• ANSWER # 2 • RESPUESTA # 2

INGLÉS

FIFTY (50)

PRONUNCIACIÓN

FIFTI

Fifty
fifti

ESPAÑOL

CINCUENTA (50)

• QUESTION # 3 • PREGUNTA # 3

INGLÉS

WHAT COLOR ARE THE STARS OF OUR FLAG?

PRONUNCIACIÓN

UÁT KÓLOR AR DE STÁRS OV ÁUAR FLAG?

What
uát

What color
uát kólor

What color are
uát kólor ar

What color are the
uát kólor ar de

What color are the stars
uát kólor ar de stárs

What color are the stars of
uát kólor ar de stárs ov

What color are the stars of our
uát kólor ar de stárs ov áuar

What color are the stars of our flag?
uát kólor ar de stárs ov áuar flag?

Continúe..........

ESPAÑOL

¿DE QUÉ COLOR SON LAS ESTRELLAS DE NUESTRA BANDERA?

• ANSWER # 3 • RESPUESTA # 3

INGLÉS

WHITE

PRONUNCIACIÓN

UÁIT

White
uáit

ESPAÑOL

BLANCO

• QUESTION # 4 • PREGUNTA # 4

INGLÉS

WHAT DO THE STARS ON THE FLAG MEAN?

PRONUNCIACIÓN

UÁT DU DE STÁRS ON DE FLAG MÍN

What
uát

What do
uát du

What do the
uát du de

What do the stars
uát du de stárs

What do the stars on
uát du de stárs on

What do the stars on the
uát du de stárs on de

What do the stars on the flag
uát du de stárs on de flag

Continúe..........

What do the stars on the flag mean?
uát du de stárs on de flag mín?

ESPAÑOL

¿ CUÁL ES EL SIGNIFICADO DE LAS ESTRELLAS EN LA BANDERA?

• ANSWER # 4 • RESPUESTA # 4

INGLÉS

THERE IS ONE (1) FOR EACH STATE OF THE UNION

PRONUNCIACIÓN

DÉAR IS UÁN FOR ÍCH STÉIT OV DE IÚNION

There
déar

There is
déar is

There is one
déar is uán

There is one for
déar is uán for

There is one for each
déar is uán for ích

There is one for each state
déar is uán for ích stéit

There is one for each state of
déar is uán for ích stéit ov

There is one for each state of the
déar is uán for ích stéit ov de

There is one for each state of the Union
déar is uán for ích stéit ov de iúnion

ESPAÑOL

HAY UNA (1) POR CADA ESTADO DE LA UNIÓN

Continúe..........

• QUESTION # 5 • PREGUNTA # 5

INGLÉS

HOW MANY STRIPES ARE THERE IN THE FLAG?

PRONUNCIACIÓN

JÁU MÉNI STRÁIPS AR DÉAR IN DE FLAG?

How
jáu
How many
jáu méni
How many stripes
jáu méni stráips
How many stripes are
jáu méni stráips ar
How many stripes are there
jáu méni stráips ar déar
How many stripes are there in
jáu méni stráips ar déar in
How many stripes are there in the
jáu méni stráips ar déar in de
How many stripes are there in the flag?
jáu méni stráips ar déar in de flag?

ESPAÑOL

¿CUÁNTAS FRANJAS HAY EN LA BANDERA?

• ANSWER # 5 • RESPUESTA # 5

INGLÉS

THIRTEEN (13)

PRONUNCIACIÓN

ZÉRTÍIN

Continúe..........

Thirteen
zértíin

ESPAÑOL

TRECE (13)

• QUESTION # 6 • PREGUNTA # 6

INGLÉS

WHAT COLORS ARE THE STRIPES?

PRONUNCIACIÓN

UÁT KÓLORS AR DE STRÁIPS?

What
uát

What colors
uát kólors

What colors are
uát kólors ar

What colors are the
uát kólors ar de

What colors are the stripes
uát kólors ar de stráips

ESPAÑOL

¿DE QUÉ COLOR SON LAS FRANJAS?

• ANSWER # 6 • RESPUESTA # 6

INGLÉS

RED AND WHITE

PRONUNCIACIÓN

RED AND UÁIT

Red
red

Red and
red and

Red and white
red and uáit

ESPAÑÓL

ROJO Y BLANCO

• QUESTION # 7 • PREGUNTA # 7

INGLÉS

WHAT DO THE STRIPES ON THE FLAG MEAN?

PRONUNCIACIÓN

UÁT DÚ DE STRÁIPS ON DE FLAG MÍN?

What

uát

What do

uát dú

What do the

uát dú de

What do the stripes

uát dú de stráips

What do the stripes on

uát dú de stráips on

What do the stripes on the

uát dú de stráips on de

What do the stripes on the flag

uát dú de stráips on de flag

What do the stripes on the flag mean?

uát dú de stráips on de flag mín?

ESPAÑOL

¿QUÉ SIGNIFICADO TIENEN LAS FRANJAS?

• ANSWER # 7 • RESPUESTA # 7

INGLÉS

THEY REPRESENT THE ORIGINAL THIRTEEN STATES

PRONUNCIACIÓN

DÉI RÍPRISENT DE ORÍYINAL ZERTÍIN STÉITS

They

déi

Continúe..........

They represent
déi ríprisent

They represent the
déi ríprisent de

They represent the original
déi ríprisent de oríyinal

They represent the original thirteen
déi ríprisent de oríyinal zertíin

They represent the original thirteen states
déi ríprisent de oríyinal zertíin stéits

ESPAÑOL

REPRESENTAN LOS TRECE ESTADOS ORIGINALES

• QUESTION # 8 • PREGUNTA # 8

INGLÉS

HOW MANY STATES ARE THERE IN THE UNION?

PRONUNCIACIÓN

JÁU MÉNI STÉITS AR DÉAR IN DE IÚNION

How
jáu

How many
jáu méni

How many states
jáu méni stéits

How many states are
jáu méni stéits ar

How many states are there
jáu méni stéits ar déar

How many states are there in
jáu méni stéits ar déar in

How many states are there in the
jáu méni stéits ar déar in de

How many states are there in the Union?
jáu méni stéits ar déar in de iúnion?

Continúe..........

ESPAÑOL

¿CUÁNTOS ESTADOS HAY EN LA UNIÓN?

•ANSWER # 8 • RESPUESTA # 8

INGLÉS

FIFTY (50)

PRONUNCIACIÓN

FÍFTI

Fifty
fífti

ESPAÑOL

CINCUENTA (50)

• QUESTION # 9 • PREGUNTA # 9

INGLÉS

WHAT IS THE 4th OF JULY ?

PRONUNCIACIÓN

UÁT IS DE FÓRZ OV YULÁI

What
uát

What is
uát is

What is the
uát is de

What is the 4th
uát is de fórz

What is the 4th of
uát is de fórz ov

What is the 4th of July?
uát is de fórz ov yulái?

ESPAÑOL

¿QUÉ SIGNIFICA EL 4 DE JULIO?

Continúe..........

• ANSWER # 9 • RESPUESTA # 9

INGLÉS

INDEPENDENCE DAY

PRONUNCIACIÓN

INDEPÉNDENS DÉI

Independence
indepéndens

Indepedence Day
indepéndens déi

ESPAÑOL

EL DIA DE LA INDEPENDENCIA

• QUESTION # 10 • PREGUNTA # 10

INGLÉS

WHAT IS THE DATE OF INDEPENDENCE DAY?

PRONUNCIACIÓN

UÁT IS DE DÉIT OV INDEPÉNDENS DÉI?

What
uát

What is
uát is

What is the
uát is de

What is the date
uát is de déit

What is the date of
uát is de déit ov

What is the date of Independence
uát is de déit ov indepéndens

What is the date of Independence Day?
uát is de déit ov indepéndens déi?

Continúe..........

ESPAÑOL

¿EN QUÉ FECHA SE CELEBRA EL DIA DE LA INDEPENDENCIA?

•ANSWER # 10 • RESPUESTA # 10

INGLÉS

JULY 4TH

PRONUNCIACIÓN

YULÁI FÓRZ

July

yulái

July 4th

yulái fórz

ESPAÑOL

EL 4 DE JULIO

• QUESTION # 11 • PREGUNTA # • 11

INGLÉS

FROM WHOM DID THE UNITED STATES GAIN INDEPENDENCE?

PRONUNCIACIÓN

FROM JÚM DID DE IÚNAITED STÉITS GUÉIN INDEPÉNDENS?

From

from

From whom

from júm

From whom did

from júm did

From whom did the

from júm did de

From whom did the United

from júm did de iúnaited

From whom did the United States

from júm did de iúnaited stéits

From whom did the United States gain

from júm did de iúnaited stéits guéin

Continúe.....

From whom did the United States gain independence?
from júm did de iúnaited stéits guéin indepéndens?

ESPAÑOL

¿DE QUIÉN SE INDEPENDIZÓ ESTADOS UNIDOS?

• ANSWER # 11 • RESPUESTA # 11

INGLÉS

ENGLAND

PRONUNCIACIÓN

ÍNGLAND

England
íngland

ESPAÑOL

DE INGLATERRA

• QUESTION # 12 • PREGUNTA # 12

INGLÉS

WHAT COUNTRY DID WE FIGHT DURING THE REVOLUTIONARY WAR?

PRONUNCIACIÓN

UÁT KÓNTRI DID UÍ FÁIT DIURING DE REVOLUCHIONARY ÚOR?

What
uát

What country
uát kóntri

What country did
uát kóntri did

What country did we
uát kóntri did uí

What country did we fight
uát kóntri did uí fáit

What country did we fight during
uát kóntri did uí fáit diuring

Continúe..........

What country did we fight during the
uát kóntri did uí fáit diuring de

What country did we fight during the revolutionary
uát kóntri did uí fáit diuring de revoluchionary

What country did we fight during the revolutionary war?
uát kóntri did uí fáit diuring de revoluchionary úor?

ESPAÑOL

¿CONTRA QUÉ PAÍS NOSOTROS LUCHAMOS DURANTE LA GUERA REVOLUCIONARIA?

• ANSWER # 12 • RESPUESTA # 12

INGLÉS

ENGLAND

PRONUNCIACIÓN

ÍNGLAND

England
íngland

ESPAÑOL

INGLATERRA

• QUESTION # 13 • PREGUNTA # 13

INGLÉS

WHO WAS THE FIRST PRESIDENT OF THE UNITED STATES?

PRONUNCIACIÓN

JÚ UÁS DE FERST PRÉSIDENT OV DE IÚNAITED STÉITS?

Who
jú

Who was
jú uás

Who was the
jú uás de

Continúe..........

Who was the first
jú uás de ferst

Who was the first President
jú uás de ferst président

Who was the first President of
jú uás de ferst président ov

Who was the first President of the
jú uás de ferst président ov de

Who was the first President of the United
jú uás de ferst président ov de iúnaited

Who was the first President of the United States?
jú uás de ferst président ov de iúnaited stéits?

ESPAÑOL

¿QUIÉN FUE EL PRIMER PRESIDENTE DE LOS ESTADOS UNIDOS?

• ANSWER # 13 • RESPUESTA # • 13

INGLÉS

GEORGE WASHINGTON

PRONUNCIACIÓN

YIÓRCH UÁSHINGTON

George
yiórch

George Washington
yiórch uáshington

ESPAÑOL

GEORGE WASHINGTON

• QUESTION # 14 • PREGUNTA # 14

INGLÉS

WHO IS THE PRESIDENT OF THE UNITED STATES?

PRONUNCIACIÓN

JÚ IS DE PRÉSIDENT OV DE IÚNAITED STÉITS?

Continúe..........

Who
jú

Who is
jú is

Who is the
jú is de

Who is the President
jú is de président

Who is the President of
jú is de président ov

Who is the President of the
jú is de président ov de

Who is the President of the United
jú is de président ov de iúnaited

Who is the President of the United States?
jú is de président ov de iúnaited stéits?

ESPAÑOL

¿QUIÉN ES EL PRESIDENTE DE LOS ESTADOS UNIDOS?

• ANSWER # 14 • RESPUESTA # 14

..........(DEBE NOMBRAR EL PRESIDENTE ACTUAL)

• QUESTION # 15 • PREGUNTA # 15

INGLÉS

WHO IS THE VICE-PRESIDENT OF THE UNITED STATES?

PRONUNCIACIÓN

JÚ IS DE VÁIS-PRÉSIDENT OV DE IÚNAITED STÉITS?

Who
jú

Who is
jú is

Who is the
jú is de

Continúe..........

Who is the Vice-President
jú is de váis-président

Who is the Vice-President of
jú is de váis-président ov

Who is the Vice-President of the
jú is de váis-président ov de

Who is the Vice-President of the United
jú is de váis-président ov de iúnaited

Who is the Vice-President of the United States?
jú is de váis-président ov de iúnaited stéits?

ESPAÑOL

¿QUIÉN ES EL VICE-PRESIDENTE DE LOS ESTADOS UNIDOS?

• ANSWER # 15 • RESPUESTA # 15

........(DEBE NOMBRAR EL VICE-PRESIDENTE ACTUAL)

• QUESTION # 16 • PREGUNTA # 16

INGLÉS

WHO ELECTS THE PRESIDENT OF THE UNITED STATES?

PRONUNCIACIÓN

JÚ ILÉCTS DE PRÉSIDENT OV DE IÚNAITED STÉITS?

Who
jú

Who elects
jú iléctS

Who elects the
jú ilécts de

Who elects the President
jú ilécts de président

Continúe..........

Who elects the President of
jú ilécts de président ov

Who elects the President of the
jú ilécts de Président ov de

Who elects the President of the United
jú ilécts de président ov de iúnaited

Who elects the President of the United States?
jú ilécts de président ov de iúnaited stéits?

ESPAÑOL

¿QUIÉN ELIGE EL PRESIDENTE DE LOS ESTADOS UNIDOS?

• ANSWER # 16 • RESPUESTA # 16

INGLÉS

THE ELECTORAL COLLEGE

PRONUNCIACIÓN

DE ILÉCTORAL KÓLLICH

The
de

The Electoral
de iléctoral

The Electoral College
de iléctoral kóllich

ESPAÑÓL

EL COLEGIO ELECTORAL

• QUESTION # 17 • PREGUNTA # 17

INGLÉS

WHO BECOMES THE PRESIDENTE OF THE UNITED STATES IF THE PRESIDENTE SHOULD DIE?

PRONUNCIACIÓN

JÚ BICÓMS DE PRÉSIDENT OV DE IÚNAITED STÉITS IF DE PRÉSIDENT SHÚD DÁI?

Who
jú

Who becomes
jú bicóms

Who becomes the
jú bicóms de

Who becomes the President
jú bicóms de président

Who becomes the President of
jú bicóms de président ov

Who becomes the President of the
jú bicóms de président ov de

Who becomes the President of the United
jú bicóms de président ov de iúnaited

Who becomes the President of the United States
jú bicóms de président ov de iúnaited stéits

Who becomes the President of the United States if
jú bicóms de président ov de iúnaited stéits if

Who becomes the President of the United States if the
jú bicóms de président ov de iúnaited stéits if de

Continúe..........

Who becomes the President of the United States if the President

jú bicóms de président ov de iúnaited stéits if président

Who becomes the President of the United States if the President should

jú bicóms de président ov de iúnaited stéits if de président shúd

Who becomes the President of the United States if the President should die?

jú bicóms de président ov de iúnaited stéits if de président shúd dái?

ESPAÑOL

¿QUIÉN PASA A SER PRESIDENTE CUANDO MUERE EL PRESIDENTE DE LOS ESTADOS UNIDOS?

• ANSWER # 17 • RESPUESTA # 17

INGLÉS

THE VICE-PRESIDENT

PRONUNCIACIÓN

DE VÁIS-PRÉSIDENT

The

de

The Vice-President

de váis-président

ESPAÑOL

EL VICE-PRESIDENTE

• QUESTION # 18 • PREGUNTA # 18

INGLÉS

FOR HOW LONG DO WE ELECT THE PRESIDENT?

PRONUNCIACIÓN

FOR JÁU LONG DU UÍ ILÉCT DE PRÉSIDENT?

For
for

For how
for jáu

For how long
for jáu long

For how long do
for jáu long du

For how long do we
for jáu long du uí

For how long do we elect
for jáu long du uí iléct

For how long do we elect the
for jáu long du uí iléct de

For how long do we elect the President?
for jáu long du uí iléct de président?

ESPAÑOL

¿POR CUÁNTOS AÑOS ELEGIMOS AL PRESIDENTE?

• ANSWER # 18 • RESPUESTA # 18

INGLÉS

FOUR (4) YEARS

PRONUNCIACIÓN

FÓAR YÍARS

Continúe..........

Four
fóar

Four years.
fóar yíars

ESPAÑOL

POR CUATRO (4) AÑOS.

• QUESTION # 19 • PREGUNTA # 19

INGLÉS

WHAT IS THE CONSTITUCION?

PRONUNCIACIÓN

UÁT IS DE KONSTITIÚCHION?

What
uát

What is
uát is

What is the
uát is de

What is the Constitution?
uát is de konstitiúchión?

ESPAÑOL

¿QUÉ ES LA CONSTITUCIÓN?

•ANSWER # 19 • RESPUESTA # 19

INGLÉS

THE SUPREME LAW OF THE LAND

PRONUNCIACIÓN

DE SUPRÍM LÓ OV DE LAND

Continúe..........

The
de

The supreme
de suprím

The supreme law
de suprím ló

The supreme law of
de suprím ló ov

The supreme law of the
de suprím ló ov de

The supreme law of the land
de suprím ló ov de land

ESPAÑOL

LA LEY SUPREMA DE LA NACIÓN

• QUESTION # 20 • PREGUNTA # 20

INGLÉS

CAN THE CONSTITUTION BE CHANGED?

PRONUNCIACIÓN

KÁN DE KONSTITIÚCHION BÍ CHÉINCH?

Can
kán

Can the
kán de

Can the Constitution
kán de konstitiúchion

Can the Constitution be
kán de konstitiúchion bí

Continúe..........

Can the Constitution be changed?
kán de konstitiúchion bí chéinch?

ESPAÑOL

¿PUEDE SER CAMBIADA LA CONSTITUCIÓN?

• ANSWER # 20 • RESPUESTA # 20

INGLÉS

YES

PRONUNCIACIÓN

IÉS

Yes
iés

ESPAÑOL

SÍ

• QUESTION # 21 • PREGUNTA # 21

INGLÉS

WHAT DO WE CALL A CHANGE TO THE CONSTITUTION?

PRONUNCIACIÓN

UÁT DU UÍ KOL E CHÉINCH TU DE KONSTITIÚCHION?

What
uát

What do
uát du

Continúe..........

What do we
uát du uí

What do we call
uát du uí kol

What do we call a
uát du uí kol e

What do we call a change
uát du uí kol e chéinch

What do we call a change to
uát du uí kol e chéinch tu

What do we call a change to the
uát du uí kol e chéinch tu de

What do we call a change to the Constitution?
uát du uí kol e chéinch tu de konstitiúchion?

ESPAÑOL

¿CÓMO LLAMAMOS A UN CAMBIO EN LA CONSTITUCIÓN?

•ANSWER # 21 • RESPUESTA # 21

INGLÉS

AMENDMENT

PRONUNCIACIÓN

AMÉNDMENT

Amendment
améndment

ESPAÑOL

ENMIENDA

• QUESTION # 22 • PREGUNTA # 22

INGLÉS

HOW MANY CHANGES OR AMENDMENTS ARE THERE TO THE CONSTITUTION?

PRONUNCIACIÓN

JÁU MENI CHÉINCHS OR AMÉNDMENTS AR DÉAR TU DE KONSTITIÚCHION?

How
jáu

How many
jáu meni

How many changes
jáu meni chéinchs

How many changes or
jáu meni chéinchs or

How many changes or amendments
jáu meni chéinchs or améndments

How many changes or amendments are
jáu meni chéinchs or améndments ar

How many changes or amendments are there
jáu meni chéinchs or améndments ar déar

How many changes or amendments are there to
jáu meni chéinchs or améndments ar déar tu

How many changes or amendments are there to The
jáu meni chéinchs or améndments ar déar tu de

How many changes or amendments are there to The Constitution?
jáu meni chéinchs or améndments ar déar tu de konstitiúchion?

Continúe..........

ESPAÑOL

¿CUÁNTOS CAMBIOS O ENMIENDAS HAY EN LA CONSTITUCIÓN?

• ANSWER # 22 • RESPUESTA # 22

INGLÉS

TWENTY SIX

PRONUNCIACIÓN

TUÉNTI SIX

Twenty
tuénti

Twenty six
tuénti six

ESPAÑOL

VEINTISÉIS

• QUESTION # 23 • PREGUNTA # 23

INGLÉS

HOW MANY BRANCHES ARE THERE IN OUR GOVERNMENT?

PRONUNCIACIÓN

JÁU MÉNI BRÁNCHES AR DÉAR IN ÁUAR GÓVERNMENT?

How
jáu

How many
jáu méni

How many branches
jáu méni bránches

Continúe..........

How many branches are
jáu méni bránches ar
How many branches are there
jáu méni bránches ar déar
How many branches are there in
jáu méni bránches ar déar in
How many branches are there in our
jáu méni bránches ar déar in áuar
How many branches are there in our government?
jáu méni bránches ar déar in áuar góvernment?

ESPAÑOL

¿ DE CUÁNTAS RAMAS CONSISTE NUESTRO GOBIERNO?

•ANSWER # 23 • RESPUESTA # 23

INGLÉS

THREE

PRONUNCIACIÓN

ZRÍI

Three
zríi

ESPAÑÓL

TRES

• QUESTION # 24 • PREGUNTA # 24

INGLÉS

WHAT ARE THE THREE BRANCHES OF OUR GOVERNMENT?

PRONUNCIACIÓN

UÁT AR DE ZRÍI BRÁNCHES OV ÁUAR GÓVERNMENT?

Continúe..........

What
uát
What are
uát ar
What are the
uát ar de
What are the three
uát ar de zríi
What are the three branches
uát ar de zríi bránches
What are the three branches of
uát ar de zríi bránches ov
What are the three branches of our
uát ar de zríi bránches ov áuar
What are the three branches of our government?
uát ar de zríi bránches ov áuar góvernment?

ESPAÑOL

¿CUÁLES SON LAS TRES RAMAS DE NUESTRO GOBIERNO?

• ANSWER # 24 • RESPUESTA # 24

INGLÉS

LEGISLATIVE, EXECUTIVE AND JUDICIARY

PRONUNCIACIÓN

LEYESLEÍTIV, ÍKXEKÍUTÍV AND YUDÍCIARI

Legislative,
leyesleítiv,

Continúe..........

Legislative, executive
leyesleítiv, íkxekíutív
Legislative, executive and
leyesleítiv, íkxekíutív and
Legislative, executive and judiciary
leyesleítiv, íkxekíutív and yudíciari

ESPAÑOL

LEGISLATIVO, EJECUTIVO Y JUDICIAL

• QUESTION # 25 • PREGUNTA # 25

INGLÉS

WHAT IS THE LEGISLATIVE BRANCH OF OUR GOVERNMENT?

PRONUNCIACIÓN

UÁT IS DE LEYESLEÍTIV BRANCH OV ÁUAR GÓVERNMENT?

What
uát
What is
uát is
What is the
uát is de
What is the legislative
uát is de leyesleítiv
What is the legislative branch
uát is de leyesleítiv branch
What is the legislative branch of
uát is de leyesleítiv branch ov

Continúe..........

What is the legislative branch of our
uát is de leyesleítiv branch ov áuar
What is the legislative branch of our government?
uát is de leyesleítiv branch ov áuar góvernment?

ESPAÑOL

¿CUÁL ES LA RAMA LEGISLATIVA DE NUESTRO GOBIERNO?

• ANSWER # 25 • RESPUESTA # 25

INGLÉS

CONGRESS

PRONUNCIACIÓN

KÓNGRES

Congress
kóngres

ESPAÑOL

EL CONGRESO

• QUESTION # 26 • PREGUNTA # 26

INGLÉS

WHO MAKES THE LAWS IN THE UNITED STATES?

PRONUNCIACIÓN

JÚ MÉIKS DE LÓS IN DE IÚNAITED STÉITS?

Who
jú
Who makes
jú méiks

Continúe..........

Who makes the
jú méiks de
Who makes the laws
jú méiks de lós
Who makes the laws in
jú méiks de lós in
Who makes the laws in the
jú méiks de lós in de
Who makes the laws in the United
jú méiks de lós in de iúnaited
Who makes the laws in the United States?
jú méiks de lós in de iúnaited stéits?

ESPAÑOL

QUIÉN HACE LAS LEYES EN LOS ESTADOS UNIDOS?

• ANSWER # 26 • RESPUESTA # 26

INGLÉS

CONGRESS

PRONUNCIACIÓN

KÓNGRES

ESPAÑOL

EL CONGRESO.

• QUESTION # 27 • PREGUNTA # 27

INGLÉS

WHAT IS CONGRESS?

PRONUNCIACIÓN

UÁT IS KÓNGRES?

Continúe..........

What
uát
What is
uát is
What is Congress?
uát is kóngres?

ESPAÑOL

¿QUÉ ES EL CONGRESO?

• ANSWER # 27 • RESPUESTA # 27

INGLÉS

THE SENATE AND THE HOUSE OF REPRESENTATIVES

PRONUNCIACIÓN

DE SENÉIT AND DE JÁUS OV RIPRISÉNTATIV

The
de
The Senate
de senéit
The Senate and
de senéit and
The Senate and the
de senéit and de
The Senate and the House
de senéit and de jáus
The Senate and the House of
de senéit and de jáus ov

Continúe..........

The Senate and the House of Representatives
de senéit and de jáus ov riprisénativs

ESPAÑOL

EL SENADO Y LA CAMARA DE REPRESENTANTES

•QUESTION # 28 • PREGUNTA # 28

INGLÉS

WHAT ARE THE DUTIES OF CONGRESS?

PRONUNCIACIÓN

UÁT AR DE DIÚTIS OV KÓNGRES?

What
uát

What are
uát ar

What are the
uát ar de

What are the duties
uát ar de diútis

What are the duties of
uát ar de diútis ov

What are the duties of Congress?
uát ar de diútis ov kóngres?

ESPAÑOL

¿CUÁLES SON LAS RESPONSABILIDADES DEL CONGRESO?

Continúe..........

•ANSWER # 28 • RESPUESTA # 28

INGLÉS

TO MAKE LAWS

PRONUNCIACIÓN

TÚ MÉIK LOS

To
tú

To make
tú méik

To make laws
tú méik los

ESPAÑOL

HACER LAS LEYES

•QUESTION # 29 • PREGUNTA # 29

INGLÉS

WHO ELECTS CONGRESS?

PRONUNCIACIÓN

JÚ ILÉCTS KÓNGRES?

Who
jú

Who elects
jú ilécts

Who elects Congress?
jú ilécts kóngres?

Continúe..........

ESPAÑOL

¿QUIÉN ELIGE EL CONGRESO?

• ANSWER # 29 • RESPUESTA # 29

INGLÉS

THE PEOPLE

PRONUNCIACIÓN

DE PÍPOL

The
de
The people
de pípol

ESPAÑOL

EL PUEBLO

• QUESTION # 30 • PREGUNTA # 30

INGLÉS

HOW MANY SENATORS ARE THERE IN CONGRESS?

PRONUNCIACIÓN

JÁU MÉNI SÉNATORS AR DÉAR IN KÓNGRES?

How
jáu
How many
jáu méni
How many senators
jáu méni sénators

Continúe..........

How many senators are
jáu méni sénators ar

How many senators are there
jáu méni sénators ar déar

How many senators are there in
jáu méni sénators ar déar in

How many senators are there in Congress?
jáu méni sénators ar déar in kóngres?

ESPAÑOL

¿CUÁNTOS SENADORES HAY EN EL CONGRESO?

• ANSWER # 30 • RESPUESTA # 30

INGLÉS

ONE HUNDRED (100), TWO (2) FOR EACH STATE

PRONUNCIACIÓN

UÁN JÓNDRED TÚ FOR ÍCH STÉIT

One
uán

One hundred
uán jóndred

One hundred two
uán jóndred tú

One hundred two for
uán jóndred tú for

One hundred two for each
uán jóndred tú for ích

Continúe..........

One hundred two for each state
uán jóndred tú for ích stéit

ESPAÑOL

CIEN (100), DOS (2) POR CADA ESTADO

• QUESTION # 31 • PREGUNTA # 31

INGLÉS

CAN YOU NAME THE TWO (2) SENATORS FROM YOUR STATE?

PRONUNCIACIÓN

KÁN IÚ NÉIM DE TÚ SÉNATORS FROM ÍUAR STÉIT?

Can
kán

Can you
kán iú

Can you name
kán iú néim

Can you name the
kán iú néim de

Can you name the two (2)
kán iú néim de tú

Can you name the two (2) senators
kán iú néim de tú sénators

Continúe..........

Can you name the two (2) senators from
kán iú néim de tú sénators from

Can you name the two (2) senators from your
kán iú néim de tú sénators from íuar

Can you name the two (2) senators from your state?
kán iú néim de tú sénators from íuar stéit?

ESPAÑOL

¿PUEDE NOMBRAR LOS DOS (2) SENADORES DE SU ESTADO?

• ANSWER # 31 • RESPUESTA # 31

DEBE NOMBRAR LOS DOS (2) SENADORES ACTUALES DEL ESTADO EN QUE ESTE RESIDIENDO

• QUESTION # 32 • PREGUNTA # 32

INGLÉS

FOR HOW LONG DO WE ELECT EACH SENATOR?

PRONUNCIACIÓN

FOR JÁU LONG DU UÍ ILÉCT ÍCH SÉNATOR?

For
for

For how
for jáu

For how long
for jáu long

For how long do
for jáu long du

For how long do we
for jáu long du uí

Continúe..........

For how long do we elect
for jáu long du uí iléct

For how long do we elect each
for jáu long du uí iléct ích

For how long do we elect each Senator?
for jáu long du uí iléct ích sénator?

ESPAÑOL

¿POR CUÁNTO TIEMPO ELEGIMOS A CADA SENADOR?

• ANSWER # 32 • RESPUESTA # 32

INGLÉS

SIX (6) YEARS

PRONUNCIACIÓN

SIX YÍARS

Six (6)
six

Six (6) years
six yíars

ESPAÑÓL

POR SEIS (6) AÑOS

• QUESTION # 33 • PREGUNTA # 33

INGLÉS

HOW MANY REPRESENTATIVES ARE THERE IN CONGRESS?

PRONUNCIACIÓN

JÁU MÉNI RIPRISÉNTATIVS AR DÉAR IN KÓNGRES?

How
jáu

How many
jáu méni

Continúe..........

How many representatives
jáu méni riprisséntativs

How many representatives are
jáu méni riprisséntativs ar

How many representatives are there
jáu méni riprisséntativs ar déar

How many representatives are there in
jáu méni riprisséntativs ar déar in

How many representatives are there in Congress?
jáu méni riprisséntativs ar déar in kóngres?

ESPAÑOL

¿CUÁNTOS REPRESENTANTES HAY EN EL CONGRESO?

• ANSWER # 33 • RESPUESTA # 33

INGLÉS

FOUR HUNDRED THIRTY FIVE (435) ACCORDING TO POPULATION

PRONUNCIACIÓN

FÓAR JÓNDRED ZÉRTI FÁIV (435) ACÓRDING TU POPIULESHIÓN

Four
fóar

Four hundred
fóar jóndred

Four hundred thirty
fóar jóndred zérti

Four hundred thirty five (435)
fóar jóndred zérti fáiv

Four hundred thirty five (435) according
fóar jóndred zérti fáiv acórding

Continúe..........

Four hundred thirty five (435) according to
fóar jóndred zérti fáiv acórding tu

Four hundred thirty five (435) according to population?
fóar jóndred zérti fáiv acórding tu popiuleshión?

ESPAÑOL

CUATROCIENTOS TREINTA Y CINO (435), DE ACUERDO CON LA POBLACIÓN

• QUESTION # 34 • PREGUNTA # 34

INGLÉS

FOR HOW LONG DO WE ELECT THE REPRESENTATIVES?

PRONUNCIACIÓN

FOR JÁU LONG DU UÍ ILÉCT DE RIPRISÉNTATIVS?

For
for

For how
for jáu

For how long
for jáu long

For how long do
for jáu long du

For how long do we
for jáu long du uí

For how long do we elect
for jáu long du uí iléct

For how long do we elect the
for jáu long du uí iléct de

For how long do we elect the representatives?
for jáu long du uí iléct de riprisentativs?

Continúe..........

ESPAÑOL

¿POR CUÁNTO TIEMPO ELEGIMOS A LOS REPRESENTANTES?

• ANSWER # 34 • RESPUESTA # 34

INGLÉS

TWO (2) YEARS

PRONUNCIACIÓN

TÚ (2) YÍARS

Two (2)
tú

Two (2) years
tú yíars

ESPAÑOL

DOS (2) AÑOS

• QUESTION # 35 • PREGUNTA # 35

INGLÉS

WHAT IS THE EXECUTIVE BRANCH OF OUR GOVERNMENT?

PRONUNCIACIÓN

UÁT IS DE ÍKXEKIUTÍV BRANCH OV ÁUAR GÓVERNMENT?

What
uát

What is
uát is

What is the
uát is de

What is the Executive
uát is de íkxekiutív

What is the Executive Branch
uát is de íkxekiutív branch

Continúe..........

What is the Executive Branch of
uát is de íkxekiutív branch ov
What is the Executive Branch of our
uát is de íkxekiutív branch ov áuar
What is the Executive Branch of our government?
uát is de íkxekiutív branch ov áuar góvernment?

ESPAÑOL

¿ QUÉ ES LA RAMA EJECUTIVA DE NUESTRO GOBIERNO?

• ANSWER # 35 • RESPUESTA # 35

INGLÉS

THE PRESIDENT, CABINET AND DEPARTMENTS UNDER THE CABINET MEMBERS

PRONUNCIACIÓN

DE PRÉSIDENT, KÁBINET AND DEPÁRTMENTS ONDER DE KÁBINET MÉMBERS

The
de
The President
de président
The President, Cabinet
de président, kábinet
The President, Cabinet and
de président, kábinet and
The President, Cabinet and departments
de président, kábinet and depártments
The President, Cabinet and departments under
de président, kábinet and depártments onder
The President, Cabinet and departments under the
de président, kábinet and depártments onder de

Continúe..........

The President, Cabinet and departments under the Cabinet
de président, kábinet and depártments onder de kábinet

The President, Cabinet and departments under the Cabinet members
de président, kábinet and depártments onder de kábinet mémbers

ESPAÑOL

EL PRESIDENTE, EL GABINETE Y LOS DEPARTAMENTOS BAJO LOS MIEMBROS DEL GABINETE

• QUESTION # 36 • PREGUNTA # 36

INGLÉS

WHAT IS THE JUDICIARY BRANCH OF OUR GOVERNMENT?

PRONUNCIACIÓN

UÁT IS DE YUDÍCIARY BRANCH OV ÁUAR GÓVERNMENT?

What
uát

What is
uát is

What is the
uát is de

What is the Judiciary
uát is de yudíciary

What is the Judiciary Branch
uát is de yudíciary branch

What is the Judiciary Branch of
uát is de yudíciary branch ov

What is the Judiciary Branch of our
uát is de yudíciary branch ov áuar

Continúe..........

What is the Judiciary Branch of our government?
uát is de yudíciary branch ov áuar government?

ESPAÑOL

¿CUÁL ES LA RAMA JUDICIAL DE NUESTRO GOBIERNO?

• ANSWER # 36 • RESPUESTA # 36

INGLÉS

THE SUPREME COURT WHICH CONSISTS OF NINE (9) JUDGES

PRONUNCIACIÓN

DE SUPRÍM KÓRT UÍCH KONSÍSTS OF NÁIN (9) YÓYIS

The
de
The Supreme
de suprím
The Supreme Court
de suprím kórt
The Supreme Court wich
de suprím kórt uích
The Supreme Court wich consists
de suprím kórt uích konsísts
The Supreme Court wich consists of
de suprím kórt uích konsísts ov
The Supreme Court wich consists of nine (9)
de suprím kórt uích konsísts ov náin
The Supreme Court wich consists of nine (9) judges
de suprím kórt uích konsísts ov náin yóyis

ESPAÑOL

LA CORTE SUPREMA, LA CUAL CONSISTE DE NUEVE JUECES

• QUESTION # 37 • PREGUNTA # 37

INGLÉS

WHAT ARE THE DUTIES OF THE SUPREME COURT?

PRONUNCIACIÓN

UÁT AR DE DÚDIS OV DE SUPRÎM KÓRT?

What
uát
What are
uát ar
What are the
uát ar de
What are the duties
uát ar de dúdis
What are the duties of
uát ar de dúdis ov
What are the duties of the
uát ar de dúdis ov de
What are the duties of the Supreme
uát ar de dúdis ov de suprím
What are the duties of the Supreme Court?
uát ar de dúdis ov de suprím kórt?

ESPAÑOL

CUÁLES SON LAS OBLIGACIONES DE LA CORTE SUPREMA?

• ANSWER # 37 • RESPUESTA # 37

INGLÉS

TO INTERPRET THE LAWS

PRONUNCIACIÓN

TU ÍNTERPRET DE LÓS

To
tu
To interpret
tu ínterpret
To interpret the
tu ínterpret de

Continúe..........

To interpret the laws
tu ínterpret de lós

ESPAÑOL

INTERPRETAR LAS LEYES

• QUESTION # 38 • PREGUNTA # 38

INGLÉS

WHAT IS THE SUPREME LAW OF THE UNITED STATES?

PRONUNCIACIÓN

UÁT IS DE SUPRÍM LÓ OV DE IUNÁITED STÉITS?

What
uát
What is
uát is
What is the
uát is de
What is the Supreme
uát is de suprím
What is the Supreme Law
uát is de suprím ló
What is the Supreme Law of
uát is de suprím ló ov
What is the Supreme Law of the
uát is de suprím ló ov de
What is the Supreme Law of the United
uát is de suprím ló ov de iunáited
What is the Supreme Law of the United States?
uát is de suprím ló ov de iunáited stéits?

ESPAÑOL

¿CUÁL ES LA LEY SUPREMA DE LOS ESTADOS UNIDOS?

Continúe..........

• ANSWER # 38 • RESPUESTA # 38

INGLÉS

THE CONSTITUTION

PRONUNCIACIÓN

DE KONSTITIÚCHION

The
de
The Constitution
de konstitiúchion

ESPAÑOL

LA CONSTITUCIÓN

• QUESTION # 39 • PREGUNTA # 39

INGLÉS

WHAT IS THE BILL OF RIGHTS?

PRONUNCIACIÓN

UÁT IS DE BIL OV RÁITS

What
uát
What is
uát is
What is the
uát is de
What is the Bill
uát is de bil
What is the Bill of
uát is de Bil ov
What is the Bill of Rights?
uát is de bil ov ráits?

ESPAÑóL

¿QUÉ ES LA DECLARACIÓN DE DERECHOS?

Continúe..........

• ANSWER # 39 • RESPUESTA # 39

INGLÉS

THE FIRST TEN (10) AMENDMENTS OF THE CONSTITUTION

PRONUNCIACIÓN

DE FÉRST TÉN (10) AMÉNDMENTS OV DE KONSTITIÚCHION

The
de
The first
de férst
The first ten (10)
de férst tén
The first ten (10) amendments
de férst tén améndments
The first ten (10) amendments of
de férst tén améndments ov
The first ten (10) amendments of the
de férst tén améndments ov de
The first ten (10) amendments of the Constitutión
de férst tén améndments ov de konstitiúchion

ESPAÑOL

LAS PRIMERAS DIEZ (10) ENMIENDAS DE LA CONSTITUCIÓN

• QUESTION # 40 • PREGUNTA # 40

INGLÉS

WHAT IS THE CAPITAL OF YOUR STATE?

PRONUNCIACIÓN

UÁT IS DE KÁPITOL OV IÚAR STÉIT?

What
uát
What is
uát is

Continúe..........

What is the
uát is de
What is the Capital
uát is de kápitol
What is the Capital of
uát is de kápitol ov
What is the Capital of your
uát is de kápitol ov iúar
What is the Capital of your State?
uát is de kápitol ov iúar stéit?

ESPAÑOL

¿CUÁL ES LA CAPITAL DE SU ESTADO?

• ANSWER # 40 • RESPUESTA # 40

........(DEBE NOMBRAR LA CAPITAL DE SU ESTADO)

• QUESTION # 41 • PREGUNTA # 41

INGLÉS

WHO IS THE CURRENT GOVERNOR OF YOUR STATE?

PRONUNCIACIÓN

JÚ IS DE CÚRRENT GÓVERNOR OV IÚAR STÉIT?

Who
jú
Who is
jú is
Who is the
jú is de
Who is the current
jú is de cúrrent

Continúe..........

Who is the current Governor
jú is de cúrrent góvernor
Who is the current Governor of
jú is de cúrrent góvernor ov
Who is the current Governor of your
jú is de cúrrent góvernor ov iúar
Who is the current Governor of your State?
jú is de cúrrent góvernor ov iúar stéit?

ESPAÑOL

¿QUIÉN ES EL ACTUAL GOBERNADOR DE SU ESTADO?

• ANSWER # 41 • RESPUESTA # 41

........(DEBE NOMBRAR EL ACTUAL GOBERNADOR DE SU ESTADO)

• QUESTION # 42 • PREGUNTA # 42

INGLÉS

WHO BECOMES PRESIDENT OF THE U.S.A. IF THE PRESIDENT AND VICE-PRESIDENT SHOULD DIE?

PRONUNCIACIÓN

JÚ BICÓMS PRÉSIDENT OV DE IÚNAITED STÉITS IF DE PRÉSIDENT AND VÁIS-PRÉSIDENT SHÚD DÁI?

Who
jú
Who becomes
jú bicóms
Who becomes President
jú bicóms président
Who becomes President of
jú bicóms président ov
Who becomes President of the
jú bicóms président ov de

Continúe..........

Who becomes President of the United
jú bicóms président ov de iunáited

Who becomes President of the United States
jú bicóms président ov de iunáited stéits

Who becomes President of the United States if
jú bicóms président ov de iunáited stéits if

Who becomes President of the United States if the
jú bicóms président ov de iunáited stéits if de

Who becomes President of the United States if the President
jú bicóms président ov de iunáited stéits if de président

Who becomes President of the United States if the President and
jú bicóms président ov de iunáited stéits if de président and

Who becomes President of the United States if the President and Vice-President
jú bicóms président ov de iunáited stéits if de président and váis-président

Who becomes President of the United States if the President and Vice-President should
jú bicóms président ov de iunáited stéits if de président and váis-président shúd

Who becomes President of the United States if the President and Vice-President should die?
jú bicóms président ov de iunáited stéits if de président and váis-président shúd dái?

ESPAÑOL

¿ QUIÉN ASUME LA PRESIDENCIA DE LOS ESTADOS UNIDOS SI EL PRESIDENTE Y EL VICE-PRESIDENTE MUEREN?

Continúe..........

• ANSWER # 42 • RESPUESTA # 42

INGLÉS

THE SPEAKER OF THE HOUSE OF REPRESENTATIVES

PRONUNCIACIÓN

DE SPÍKER OV DE JÁUS OV RIPRISÉNTATIVS

The
de
The Speaker
de spíker
The Speaker of
de spíker ov
The Speaker of The
de spíker ov de
The Speaker of The House
de spíker ov de jáus
The Speaker of The House of
de spíker ov de jáus ov
The Speaker of The House of Representatives
de spíker ov de jáus ov riprisèntativs

ESPAÑOL

EL PRESIDENTE DE LA CÁMARA DE REPRESENTANTES

• QUESTION # 43 • PREGUNTA # 43

INGLÉS

WHO IS THE CHIEF JUSTICE OF THE SUPREME COURT?

PRONUNCIACIÓN

JÚ IS DE CHÍF YÓSTIS OV DE SUPRÍM KÓRT?

Who
jú

Continúe..........

Who is
jú is
Who is the
jú is de
Who is the Chief
jú is de chíf
Who is the Chief Justice
jú is de chíf yóstis
Who is the Chief Justice of
jú is de chíf yóstis ov
Who is the Chief Justice of the
jú is de chíf yóstis ov de
Who is the Chief Justice of the Supreme
jú is de chíf yóstis ov de suprím
Who is the Chief Justice of the Supreme Court?
jú is de chíf yóstis ov de suprím kórt?

ESPAÑOL

¿QUIÉN ES EL JUEZ PRINCIPAL DE LA CORTE SUPREMA?

• ANSWER # 43 • RESPUESTA # 43

...........(DEBE AVERIGUAR EL NOMBRE DEL JUEZ PRINCIPAL ACTUAL)

• QUESTION # 44 • PREGUNTA # 44

INGLÉS

CAN YOU NAME THE THIRTEEN ORIGINAL STATES?

PRONUNCIACIÓN

KÁN IÚ NÉIM DE ZERTIÍN ORÍYINAL STÉITS?

Can
kán
Can you
kán iú

Continúe..........

Can you name
kán iú néim

Can you name the
kán iú néim de

Can you name the thirteen
kán iú néim de zertiín

Can you name the thirteen original
kán iú néim de zertiín oríyinal

Can you name the thirteen original states?
kán iú néim de zertiín oríyinal stéits?

ESPAÑOL

¿PUEDE USTED NOMBRAR LOS TRECE ESTADOS ORIGINALES?

• ANSWER # 44 • RESPUESTA # 44

INGLÉS

CONNECTICUT, NEW HAMPSHIRE, NEW YORK, NEW JERSEY,
MASSACHUSETTS, PENNSYLVANIA, DELAWARE, VIRGINIA,
NORTH CAROLINA, SOUTH CAROLINA, GEORGIA, RHODE ISLAND AND MARYLAND

PRONUNCIACIÓN

CONÉCTIKOT, NÚ JÁMPSHER, NÚ YÓRK, NÚ YERSÍ,
MASACHÚSETS, PÉNSELVENIA, DELEUEAR, VIRYÍNIA,
NORZ KAROLÁINA, SÁUZ KAROLÁINA, YÓRYA, RÓUD ÁILAND AND MÁRILAND

Connecticut, New Hampshire, New York, New Jersey,
conéctikot, nú jámpsher, nú yórk, nú yersí,

Massachusetts, Pennsylvania, Delaware, Virginia,
masachúsets, pénselvenia, deleuear, viryínia,

Continúe..........

North Carolina, South Carolina, Georgia,
norz karoláina, sáuz karoláina, yórya

Rhode Island and Maryland
róud áiland and máriland

• QUESTION # 45 • PREGUNTA # 45

INGLÉS

WHO SAID: "GIVE ME LIBERTY OR GIVE ME DEATH" ?

PRONUNCIACIÓN

JÚ SÉD GUÍV MI LÍBERTI OR GUÍV MI DÉZ?

Who
jú

Who said:
jú séd

Who said: give
jú séd guív

Who said: give me
jú séd guív mi

Who said: give me liberty
jú séd guív mi líberti

Who said: give me liberty or
jú séd guív mi líberti or

Who said: give me liberty or give
jú séd guív mi líberti or guív

Who said: give me liberty or give me
jú séd guív mi líberti or guív mi

Who said: give me liberty or give me death?
jú séd guív mi líberti or guív mi déz?

ESPAÑOL

¿QUIÉN DIJO: "DEMEN LIBERTAD O DEMEN LA MUERTE?

Continúe..........

• ANSWER # 45 • RESPUESTA # 45

INGLÉS

PATRICK HENRY

PRONUNCIACIÓN

PÁTRICK JÉNRI

Patrick
pátrick
Patrick Henry
pátrick jénri

• QUESTION # 46 • PREGUNTA # 46

INGLÉS

WHICH COUNTRIES WERE OUR ENEMIES DURING WORLD WAR II?

PRONUNCIACIÓN

UÍCH KOUNTRIES UÉR ÁUAR ÉNEMIS DÚRING UÉRLD UÓR TÚ?

Which
uích
Which countries
uích kountris
Which countries were
uích kountris uér
Which countries were our
uích kountris uér áuar
Which countries were our enemies
uích kountris uér áuar énemis
Which countries were our enemies during
uích kountris uér áuar énemis dúring

Continúe..........

Which countries were our enemies during world
uích kountris uér áuar énemis dúring uérld
Which countries were our enemies during world war
uích kountris uér áuar énemis dúring uérld uór
Which countries were our enemies during world war II?
uích kountris uér áuar énemis dúring uérld uór tú?

ESPAÑOL

¿QUÉ PAISES FUERON NUESTROS ENEMIGOS DURANTE LA SEGUNDA GUERRA MUNDIAL?

• ANSWER # 46 • RESPUESTA # 46

INGLÉS

GERMANY, ITALY AND JAPAN

PRONUNCIACIÓN

YÉRMANÍ, ÍTALI AND YAPÁN

Germany
yérmaní
Germany, Italy
yérmaní, ítali
Germany, Italy and
yérmaní, ítali and
Germany, Italy and Japan
yérmaní, ítali and yapán

ESPAÑÓL

ALEMANIA, ITALIA Y JAPON

• QUESTION # 47 • PREGUNTA # 47

INGLÉS

WHAT ARE THE 49th AND 50th STATES OF THE UNION?

PRONUNCIACIÓN

UÁT AR DE FORTINÁINZ AND FIFTÍES STÉITS OV DE IÚNION?

What

uát

What are

uát ar

What are the

uát ar de

What are the 49th

uát ar de fortináinz

What are the 49th and

uát ar de fortináinz and

What are the 49th and 50th

uát ar de fortináinz and fiftíez

What are the 49th and 50th States

uát ar de fortináinz and fiftíez stéits

What are the 49th and 50th States of

uát ar de fortináinz and fiftíez stéits ov

What are the 49th and 50th States of the

uát ar de fortináinz and fiftíez stéits ov de

What are the 49th and 50th States of the Union?

uát ar de fortináinz and fiftíez stéits ov de iúnion?

ESPAÑOL

¿CUÁLES SON LOS ESTADOS 49 Y 50 DE LA UNIÓN?

Continúe..........

• ANSWER # 47 • RESPUESTA # 47

INGLÉS

HAWAII AND ALASKA

PRONUNCIACIÓN

JAWAIÍ AND ALÁSKA

Hawaii
jawaií

Hawaii and
jawaií and

Hawaii and Alaska
jawaií and aláska

• QUESTION # 48 • PREGUNTA # 48

INGLÉS

HOW MANY TERMS CAN A PRESIDENT SERVE?

PRONUNCIACIÓN

JÁU MÉNI TÉRMS KAN E PRÉSIDENT SÉRV?

How
jáu

How many
jáu méni

How many terms
jáu méni térms

How many terms can
jáu méni térms kan

How many terms can a
jáu méni térms kan e

How many terms can a President
jáu méni térms kan e président

How many terms can a President serve?
jáu méni térms kan e président sérv?

Continúe..........

ESPAÑOL

¿CUÁNTOS TÉRMINOS PUEDE SERVIR EL PRESIDENTE?

• ANSWER # 48 • RESPUESTA # 48

INGLÉS

TWO (2)

PRONUNCIACIÓN

TÚ

ESPAÑOL

DOS (2)

• QUESTION # 49 • PREGUNTA # 49

INGLÉS

WHO WAS MARTIN LUTHER KING JR?

PRONUNCIACIÓN

JÚ UÓS MARTIN LÚZER KING, YÚNIOR?

Who

jú

Who was

jú uós

Who was Martin

jú uós martin

Who was Martin Luther

jú uós Martin Lúzer

Who was Martin Luther King

jú uós martin lúzer king

Who was Martin Luther King, Jr.?

jú uós martin lúzer king, yúnior?

ESPAÑOL

¿QUIÉN FUÉ MARTIN LUTHER KING, JR?

• ANSWER # 49 • RESPUESTA # 49

INGLÉS

A CIVIL RIGHTS LEADER

PRONUNCIACIÓN

E SÍVOL RÁITS LÍDER

A
e
A civil
e sívol
A civil rights
e sívol ráits
A civil rights leader
e sívol ráits líder

• ESPAÑOL

UN LIDER DE LOS DERECHOS CIVILES

• QUESTION # 50 • PREGUNTA # 50

INGLÉS

WHO IS THE HEAD OF YOUR LOCAL GOVERNMENT?

PRONUNCIACIÓN

JÚ IS DE JÉD OV IÚAR LÓCAL GÓVERMENMENT?

Who
jú
Who is
jú is
Who is the
jú is de
Who is the head
jú is de jéd
Who is the head of
jú is de jéd ov

Continúe..........

Who is the head of your
jú is de jéd ov iúar
Who is the head of your local
jú is de jéd ov iúar lócal
Who is the head of your local government?
jú is de jéd ov iúar lócal góvernment?

• ESPAÑOL

¿QUIÉN ES EL JEFE DE SU GOBIERNO LOCAL?

• ANSWER # 50 • RESPUESTA # 50

..........(DEBE DECIR EL NOMBRE DEL ALCALDE DE SU LOCALIDAD)

• QUESTION # 51 • PREGUNTA # 51

INGLÉS

ACCORDING TO THE CONSTITUTION, A PERSON MUST MEET CERTAIN REQUIREMENTS IN ORDER TO BE ELIGIBLE TO BECOME PRESIDENT, NAME ONE OF THESE REQUIREMENTS

PRONUNCIACIÓN

AKÓRDING TÚ DE KONSTITIIÚCHION E PERSON MÓST MÍT SÉRTAN RIKUÁIREMENTS IN ÓRDER TÚ BÍ ÉLIYÍBEL TÚ BICÓM PRÉSIDENT. NEÍM UÁN OV DÍZ RIKUÁIREMENTS

According
akórding
According to
akórding tú
According to the
akórding tú de
According to the Constitution
akórding tú de kónstitiúchion

Continúe..........

According to the Constitution, a
akórding tú de konstitiúchion e
According to the Constitution, a person
akórding tú de konstitiúchion e person
According to the Constitution, a person must
akórding tú de konstitiúchion e person móst
According to the Constitution, a person must meet
akórding tú de konstitiúchion e person móst mít
According to the Constitution, a person must meet certain
akórding tú de konstitiúchion e person móst mít sértan
According to the Constitution, a person must meet certain requirements
akórding tú de konstitiúchion e person móst mít sértan rikuáirements
According to the Constitution, a person must meet certain requirements in
akórding tú de konstitiúchion e person móst mít sértan rikuáirements in
According to the Constitution, a person must meet certain requirements in order
akórding tú de konstitiúchion e person móst mít sértan rikuáirements in órder
According to the Constitution, a person must meet certain requirements in order to
akórding tú de konstitiúchion e person móst mít sértan rikuáirements in órder tú
According to the Constitution, a person must meet certain requirements in order to be
akórding tú de konstitiúchion e person móst mít sértan rikuáirements in órder tú bí

Continúe..........

According to the Constitution, a person must meet certain requirements in order to be eligible
akórding tú de konstitiúchion e person móst mít sértan rikuáirements in órder tú bí éliyíbel

According to the Constitution, a person must meet certain requirements in order to be eligible to
akórding tú de konstitiúchion e person móst mít sértan rikuáirements in órder tú bí éliyíbel tú

According to the Constitution, a person must meet certain requirements in order to be eligible to tecome
akórding tú de konstitiúchion e person móst mít sértan rikuáirements in órder tú bí éliyíbel tú bicóm

According to the Constitution, a person must meet certain requirements in order tobe eligible to become President.
akórding tú de konstitiúchion e person móst mít sértan rikuáirements in órder tú bí éliyíbel tú bicóm président.

According to the Constitution, a person must meet certain requirements in order to be eligible to become President. name
akórding tú de konstitiúchion e person móst mít sértan rikuáirements in órder tú bí éliyíbel tú bicóm président. neím

According to the Constitution, a person must meet certain requirements in order to be eligible to become President. name one
akórding tú de konstitiúchion e person móst mít sértan rikuáirements in órder tú bí éliyíbel tú bicóm président. neím uán

Continúe..........

According to the Constitution, a person must meet certain requirements in order to be eligible to become President. name one of

akórding tú de konstitiúchion e person móst mít sértan rikuáirements in órder tú bí éliyíbel tú bicóm président. neím uán ov

According to the Constitution, a person must meet certain requirements in order to be eligible to become President. name one of these

akórding tú de konstitiúchion e person móst mít sértan rikuáirements in órder tú bí éliyíbel tú bicóm président. neím uán ov díz

According to the Constitution, a person must meet certain requirements in order to be eligible to become President. name one of these requirements

akórding tú de konstitiúchion e person móst mít sértan rikuáirements in órder tú bí éliyíbel tú bicóm président. neím uán ov díz rikuáirements

• ESPAÑOL

DE ACUERDO CON LA COSNTITUCION UNA PERSONA DEBE LLENAR CIERTOS REQUISITOS PARA PODER SER ELEGIDO PRESIDENTE, NOMBRE UNO DE ESTOS REQUISITOS

• ANSWER # 51 • RESPUESTA # 51

INGLÉS

1.- MUST BE A NATURAL BORN CITIZEN OF THE UNITED STATES

PRONUNCIACIÓN

MÓST BÍ E NÁCHURAL BÓRN SÍTIZEN OV DE IÚNAITED STÉITS

Continúe..........

1.- Must
móst

1.- Must be
móst bí

1.- Must be a
móst bí e

1.- Must be a natural
móst bí e náchural

1.- Must be a natural born
móst bí e náchural bórn

1.- Must be a natural born citizen
móst bí e náchural bórn sítizen

1.- Must be a natural born citizen of
móst bí e náchural bórn sítizen ov

1.- Must be a natural born citizen of the
móst bí e náchural bórn sítizen ov de

1.- Must be a natural born citizen of the United
móst bí e náchural bórn sítizen ov de iúnaited

1.- Must be a natural born citizen of the United States
móst bí e náchural bórn sítizen ov de iúnaited stéits

• ESPAÑOL

DEBE SER CIUDADANO NACIDO EN LOS ESTADOS UNIDOS

INGLÉS

2.- MUST BE AT LEAST THIRTY FIVE (35) YEARS OLD

PRONUNCIACIÓN

MÓST BÍ AT LÍST ZÉRTI FÁIV YÍARS ÓULD

2.- Must
móst

2.- Must be
móst bí

2.- Must be at
móst bí at

Continúe..........

2.- Must be at least
móst bí at líst
2.- Must be at least thirty
móst bí at líst zérti
2.- Must be at least thirty five
móst bí at líst zérti fáiv
2.- Must be at least thirty five years
móst bí at líst zérti fáiv yíars
2.- Must be at least thirty five years old
móst bí at líst zérti fáiv yíars óuld

• ESPAÑOL

DEBE TENER AL MENOS TREINTA Y CINCO (35) AÑOS DE EDAD

INGLÉS

3.- MUST HAVE LIVED IN THE UNITED STATES FOR AT LEAST FOURTEEN (14) YEARS

PRONUNCIACIÓN

MÓST JÁV LÍVD IN DE IÚNAITED STÉITS FOR AT LÍST FÓARTIÍN YÍARS

3.- Must
móst
3.- Must have
móst jáv
3.- Must have lived
móst jáv lívd
3.- Must have lived in
móst jáv lívd in
3.- Must have lived in the
móst jáv lívd in de
3.- Must have lived in the United
móst jáv lívd in de iúnaited

Continúe..........

3.- Must have lived in the United States
móst jáv lívd in de iunáited stéits

3.- Must have lived in the United States for
móst jáv lívd in de iunáited stéits for

3.- Must have lived in the United States for at
móst jáv lívd in de iunáited stéits for at

3.- Must have lived in the United States for at least
móst jáv lívd in de iunáited stéits for at líst

3.- Must have lived in the United States for at least fourteen (14)
móst jáv lívd in de iúnaited stéits for at líst fóartiín

3.- Must have lived in the United States for at least fourteen (14) years
móst jáv lívd in de iúnaited stéits for at líst fóartiín (14) yíars

• ESPAÑOL

DEBE HABER VIVIDO EN LOS ESTADOS UNIDOS POR LO MENOS DURANTE CATORCE (14) AÑOS

• QUESTION # 52 • PREGUNTA # 52

INGLÉS

WHY ARE THERE ONE HUNDRED (100) SENATORS IN THE SENATE?

PRONUNCIACIÓN

UAÍ AR DÉAR UÁN JÓNDRED (100) SÉNATORS IN DE SÉNAT?

Why
uaí

Why are
uaí ar

Why are there
uaí ar déar

Continúe..........

Why are there one
uaí ar déar uán

Why are there one hundred (100)
uaí ar déar uán jóndred

Why are there one hundred (100) senators
uaí ar déar uán jóndred sénators

Why are there one hundred (100) senators in
uaí ar déar uán jóndred sénators in

Why are there one hundred (100) senators in the
uaí ar déar uán jóndred sénators in de

Why are there one hundred (100) senators in the senate?
uaí ar déar uán jóndred sénators in de sénat?

• ESPAÑOL

¿POR QUÉ HAY 100 SENADORES EN EL SENADO?

• ANSWER # 52 • RESPUESTA # 52

INGLÉS

THERE ARE TWO (2) FOR EACH STATE

PRONUNCIACIÓN

DÉAR AR TÚ FOR ÍCH STÉIT

There
déar

There are
déar ar

There are two (2)
déar ar tú

There are two (2) for
déar ar tú for

There are two (2) for each
déar ar tú for ích

Continúe..........

There are two (2) for each state
déar ar tú for ích stéit

• ESPAÑOL

HAY DOS (2) POR CADA ESTADO

• QUESTION # 53 • PREGUNTA # 53

INGLÉS

WHO SELECTS THE SUPREME COURT JUSTICES?

PRONUNCIACIÓN

JÚ SELÉKTS DE SUPRÍM KÓRT YÓSTESIZ?

Who
jú

Who selects
jú selékts

Who selects The
jú selékts de

Who selects The Supreme
jú selékts de suprím

Who selects The Supreme Court
jú selékts de suprím kórt

Who selects The Supreme Court Justices?
jú selékts de suprím kórt yóstesiz?

• ESPAÑOL

¿QUIÉN NOMBRA A LOS JUECES DE LA CORTE SUPREMA?

ANSWER # 53 • RESPUESTA # 53

INGLÉS

THE PRESIDENT

PRONUNCIACIÓN

DE PRÉSIDENT

Continúe..........

The
de

The President
de président

• ESPAÑOL

EL PRESIDENTE

• QUESTION # 54 • PREGUNTA # 54

INGLÉS

HOW MANY SUPREME COURT JUSTICES ARE THERE?

PRONUNCIACIÓN

JÁU MÉNI SUPRÍM KÓRT YÓSTESIZ AR DÉAR?

How
jáu

How many
jáu méni

How many Supreme
jáu méni suprím

How many Supreme Court
jáu méni suprím kórt

How many Supreme Court Justices
jáu méni suprím kórt yóstesiz

How many Supreme Court Justices are
jáu méni suprím kórt yóstesiz ar

How many Supreme Court Justices are there?
jáu méni suprím kórt yóstesiz ar déar?

• ESPAÑOL

¿CUÁNTOS JUECES HAY EN LA CORTE SUPREMA?

Continúe..........

• ANSWER # 54 • RESPUESTA # 54

INGLÉS

NINE (9)

PRONUNCIACIÓN

NÁIN (9)

Nine (9)
náin

• ESPAÑOL

NUEVE (9)

• QUESTION # 55 • PREGUNTA # 55

INGLÉS

WHY DID THE PILGRIMS COME TO AMERICA?

PRONUNCIACIÓN

UÁI DID DE PÍLGREMS KÓM TÚ AMÉRICA?

Why
uái
Why did
uái did
Why did the
uái did de
Why did the Pilgrims
uái did de pílgrems
Why did the Pilgrims come
uái did de pílgrems kóm
Why did the Pilgrims come to
uái did de pílgrems kóm tú
Why did the Pilgrims come to America?
uái did de pílgrems kóm tú américa?

• ESPAÑOL

¿POR QUÉ VINIERON LOS PEREGRINOS A AMÉRICA?

Continúe..........

• ANSWER # 55 • RESPUESTA # 55

INGLÉS

FOR RELIGIOUS FREEDOM

PRONUNCIACIÓN

FOR RILÍYES FRÍDOM

For
for
For religious
for rilíyes
For religious
for rilíyes
For religious freedom
for rilíyes frídom

• ESPAÑOL

BUSCANDO LIBERTAD DE RELIGION

• QUESTION # 56 • PREGUNTA # 56

INGLÉS

WHAT IS THE HEAD EXECUTIVE OF A STATE GOVERNMENT CALLED?

PRONUNCIACIÓN

UÁT IS DE JÉD ÍKXEKÍUTÍV OV E STÉIT GÓVERNMENT KÓLD?

What
uát
What is
uát is
What is the
uát is de
What is the head
uát is de jéd

Continúe..........

What is the head executive
uát is de jéd íkxekíutiv
What is the head executive of
uát is de jéd íkxekíutiv ov
What is the head executive of a
uát is de jéd íkxekíutiv ov e
What is the head executive of a state
uát is de jéd íkxekíutiv ov e stéit
What is the head executive of a state government
uát is de jéd íkxekíutiv ov e stéit góvernment
What is the head executive of a state government called?
uát is de jéd íkxekíutiv ov e stéit góvernment kóld?

• ESPAÑOL

¿CÓMO SE LLAMA EL EJECUTIVO PRINCIPAL DEL GOBIERNO DE UN ESTADO?

• ANSWER # 56 • RESPUESTA # 56

INGLÉS

GOVERNOR

PRONUNCIACIÓN

GÓVERNOR

Governor
góvernor

• ESPAÑOL

GOBERNADOR

• QUESTION # 57 • PREGUNTA # 57

INGLÉS

WHAT IS THE HEAD EXECUTIVE OF A CITY GOVERNMENT CALLED?

PRONUNCIACIÓN

UÁT IS DE JÉD ÍKXEKÍUTÍV OV E CÍTI GÓVERNMENT KÓLD?

What
uát
What is
uát is
What is the
uát is de
What is the head
uát is de jéd
What is the head executive
uát is de jéd íkxekíutiv
What is the head executive of
uát is de jéd íkxekíutiv ov
What is the head executive of a
uát is de jéd íkxekíutiv ov e
What is the head executive of a city
uát is de jéd íkxekíutiv ov e cíti
What is the head executive of a city government
uát is de jéd íkxekíutiv ov e cíti góvernment
What is the head executive of a city government called?
uát is de jéd íkxekíutiv ov e cíti góvernment kóld?

• ESPAÑOL

¿ CÓMO SE LLAMA EL EJECUTIVO PRINCIPAL DEL GOBIERNO DE UNA CIUDAD?

Continúe..........

• ANSWER # 57 • RESPUESTA # 57

INGLÉS

MAYOR

PRONUNCIACIÓN

MÉIOR

Mayor
méior

• ESPAÑOL

ALCALDE

• QUESTION # 58 • PREGUNTA # 58

INGLÉS

WHAT HOLIDAY WAS CELEBRATED FOR THE FIRST TIME BY THE AMERICANS COLONIST?

PRONUNCIACIÓN

UÁT JÓLIDÉI UÓS CÉLEBREITED FOR DE FERST TÁIM BÁI DE AMÉRIKANS KÓLONISTS

What holiday
uát jólidéi
What holiday was
uát jólidéi uós
What holiday was celebrated
uát jólidéi uós célebreited
What holiday was celebrated for
uát jólidéi uós célebreited for
What holiday was celebrated for the
uát jólidéi uós célebreited for de
What holiday was celebrated for the first
uát jólidéi uós célebreited for de ferst
What holiday was celebrated for the first time
uát jólidéi uós célebreited for de ferst táim

Continúe..........

What holiday was celebrated for the first time by
uát jólidéi uós célebreited for de ferst táim bái

What holiday was celebrated for the first time by the
uát jólidéi uós célebreited for de ferst táim bái de

What holiday was celebrated for the first time by the americans
uát jólidéi uós célebreited for de ferst táim bái de amérikans

What holiday was celebrated for the first time by the americans colonists?
uát jólidéi uós célebreited for de ferst táim bái de amérikans kólonists?

• ESPAÑOL

¿QUÉ DÍA FESTIVO CELEBRARON LOS AMERICANOS COLONIALES POR PRIMERA VEZ?

• ANSWER # 58 • RESPUESTA # 58

INGLÉS

THANKSGIVING

PRONUNCIACIÓN

ZÁNKSGUIVING

Thanksgiving
zánksguíving

• ESPAÑOL

EL DÍA DE ACCIÓN DE GRACIAS

• QUESTION # 59 • PREGUNTA # 59

INGLÉS

WHO WAS THE MAIN WRITER OF THE DECLARATION OF INDEPENDENCE?

PRONUNCIACIÓN

JÚ UÓS DE MÉIN RÁITER OV DE DECLARÉISHION OV INDEPÉNDENZ

Who
jú

Who was
jú uós

Who was the
jú uós de

Who was the main
jú uós de méin

Who was the main writer
jú uós de méin ráiter

Who was the main writer of
jú uós de méin ráiter ov

Who was the main writer of the
jú uós de méin ráiter ov de

Who was the main writer of the declaration
jú uós de méin ráiter ov de declaréishion

Who was the main writer of the declaration of
jú uós de méin ráiter ov de declaréishion ov

Who was the main writer of the declaration of independence?
jú uós de méin ráiter ov de declaréishion ov independénz?

• ESPAÑOL

¿QUIÉN FUE EL AUTOR PRINCIPAL DE LA DECLARACIÓN DE INDEPENDENCIA?

Continúe..........

• ANSWER # 59 • RESPUESTA # 59

INGLÉS

THOMAS JEFFERSON

PRONUNCIACIÓN

TÓMAS YÉFERSON

Thomas
tómas

Thomas Jefferson
tómas yéferson

• QUESTION # 60 • PREGUNTA # 60

INGLÉS

WHEN WAS THE DECLARATION OF INDEPENDENCE ADOPTED?

PRONUNCIACIÓN

UÉN UÓS DE DECLARÉISHION OV INDEPÉNDENZ ADÓPTED

When
uén

When was
uén uós

When was the
uén uós de

When was the declaration
uén uós de declaréishion

When was the declaration of
uén uós de declaréishion ov

When was the declaration of independence
uén uós de declaréishion ov indepéndenz

When was the declaration of independence adopted?
uén uós de declaréishion ov indepéndenz adópted?

Continúe..........

• ESPAÑOL

¿CUÁNDO FUE ADOPTADA LA DECLARACIÓN DE INDEPENDENCIA?

• ANSWER # 60 • RESPUESTA # 60

INGLÉS

JULY 4 1776

PRONUNCIACIÓN

YULÁI FÓRZ SÉVENTÍIN SÉVENTÍ SÍX

July
yulái
July 4
yulái fórz
July 4 1776
yulái fórz séventíin séventí síx

• ESPAÑOL

JULIO 4 DE 1776

• QUESTION # 61 • PREGUNTA # 61

INGLÉS

WHAT IS THE BASIC BELIEF OF THE DECLARATION OF INDEPENDENCE?

PRONUNCIACIÓN

UÁT IS DE BÉISIK BILÍF OV DE DECLARÉISHION OV INDEPÉNDENZ?

What
uát
What is
uát is
What is the
uát is de

Continúe..........

What is the basic
uát is de béisik

What is the basic belief
uát is de béisik bilíf

What is the basic belief of
uát is de béisik bilíf ov

What is the basic belief of the
uát is de béisik bilíf ov de

What is the basic belief of the declaration
uát is de béisik bilíf ov de declaréishion

What is the basic belief of the declaration of
uát is de béisik bilíf ov de declaréishion ov

What is the basic belief of the declaration of independence?
uát is de béisik bilíf ov de declaréishion ov indepéndenz?

• ESPAÑOL

¿ CUÁL ES EL PRINCIPIO FUNDAMENTAL DE LA DECLARACIÓN DE INDEPENDENCIA?

• ANSWER # 61 • RESPUESTA # 61

INGLÉS

THAT ALL MEN ARE CREATED EQUAL

PRONUNCIACIÓN

DAT ÓL MEN AR CRIEÍTED ÍKUAL

That
dat

That all
dat ól

That all men
dat ól men

That all men are
dat ól men ar

That all men are created
dat ól men ar crieíted

Continúe..........

That all men are created equal
dat ól men ar crieíted íkual

• ESPAÑÓL

QUE TODOS LOS HOMBRES SON CREADOS IGUALES

• QUESTION # 62 • PREGUNTA # 62

INGLÉS

WHAT IS THE NATIONAL ANTHEM OF THE UNITES STATES?

PRONUNCIACIÓN

UÁT IS DE NÁSHONAL ÁNZEM OV DE IÚNAITED STÉITS

What
uát

What is
uát is

What is the
uát is de

What is the National
uát is de náshonal

What is the National Anthem
uát is de náshonal ánzem

What is the National Anthem of
uát is de náshonal ánzem ov

What is the National Anthem of the
uát is de náshonal ánzem ov de

What is the National Anthem of the United
uát is de náshonal ánzem ov de iúnaited

What is the National Anthem of the United States?
uát is de náshonal ánzem ov de iúnaited stéits?

Continúe..........

• ESPAÑOL

¿ CUÁL ES EL HIMNO NACIONAL DE LOS ESTADOS UNIDOS?

• ANSWER # 62 • RESPUESTA # 62

INGLÉS

STAR SPANGLED BANNER

PRONUNCIACIÓN

STAR SPÁNGOLD BÁNER

Star
star
Star spangled
star spángold
Star spangled banner
star spángold báner

• ESPAÑOL

EL ESTANDARTE CUAJADO DE ESTRELLAS

• QUESTION # 63 • PREGUNTA # 63

INGLÉS

WHO WROTE THE STAR SPANGLED BANNER?

PRONUNCIACIÓN

JÚ RÓUT DE STAR SPANGOLD BÁNER?

Who
jú
Who wrote
jú róut
Who wrote the
jú róut de
Who wrote the Star
jú róut de star

Continúe..........

Who wrote the Star Spangled
jú róut de star spángold
Who wrote the Star Spangled Banner?
jú róut de star spángold báner?

• ESPAÑOL

¿ QUIÉN ESCRIBIÓ EL HIMNO PATRIÓTICO?

• ANSWER # 63 • RESPUESTA # 63

INGLÉS

FRANCIS SCOTT KEY

PRONUNCIACIÓN

FRÁNCES SKÓT KÍ

Francis
fránces

Francis Scott
fránces skót

Francis Scott
fránces skót

Francis Scott Key
fránces skót kí

• QUESTION # 64 • PREGUNTA # 64

INGLÉS

WHERE DOES FREEDOM OF SPEECH COME FROM?

PRONUNCIACIÓN

UÉAR DOS FRÍDOM OV SPÍCH KÓM FROM?

Where
uéar

Where does
uéar dos

Where does freedom
uéar dos frídom

Continúe..........

Where does freedom of
uéar dos frídom ov
Where does freedom of speech
uéar dos frídom ov spích
Where does freedom of speech come
uéar dos frídom ov spích kóm
Where does freedom of speech come from?
uéar dos frídom ov spích kóm from?

• ESPAÑOL

¿DE DÓNDE SE ORIGINA EL DERECHO DE LIBERTAD DE PALABRA?

• ANSWER # 64 • RESPUESTA # 64

INGLÉS

THE FIRST AMENDMENT OF THE BILL OF RIGHTS

PRONUNCIACIÓN

DE FÉRST AMÉNDMENT OV DE BÍL OV RÁITS

The
de
The first
de férst
The first amendment
de férst améndment
The first amendment of
de férst améndment ov
The first amendment of The
de férst améndment ov de
The first amendment of The Bill
de férst améndment ov de bíl
The first amendment of The Bill of
de férst améndment ov de bíl ov

Continúe..........

The first amendment of The Bill of Rights
de férst améndment ov de bíl ov ráits

• ESPAÑOL

ES LA PRIMERA ENMIENDA DE LA DECLARACIÓN DE DERECHOS

• QUESTION # 65 • PREGUNTA # 65

INGLÉS

WHAT IS THE MINIMUM VOTING AGE IN THE UNITED STATES?

PRONUNCIACIÓN

UÁT IS DE MÍNIMUM VÓUTING ÉICH IN DE IÚNAITED STÉITS?

What
uát
What is
uát is
What is the
uát is de
What is the minimum
uát is de mínimum
What is the minimum voting
uát is de mínimum vóuting
What is the minimum voting age
uát is de mínimum vóuting éich
What is the minimum voting age in
uát is de mínimum vóuting éich in
What is the minimum voting age in the
uát is de mínimum vóuting éich in de

Continúe..........

What is the minimum voting age in the United
uát is de mínimum vóuting éich in de iúnaited
What is the minimum voting age in the United States?
uát is de mínimum vóuting éich in de iúnaited stéits?

• ESPAÑOL

¿CUÁL ES LA EDAD MÍNIMA PARA PODER VOTAR EN LOS ESTADOS UNIDOS?

• ANSWER # 65 • RESPUESTA # 65

INGLÉS

EIGHTEEN (18) YEARS

PRONUNCIACIÓN

EITÍIN YÍARS

Eighteen (18)
eitíin
Eighteen (18) years
eitíin yíars

• ESPAÑOL

DIECIOCHO AÑOS

• QUESTION # 66 • PREGUNTA # 66

INGLÉS

WHO SIGNS BILLS INTO LAWS?

PRONUNCIACIÓN

JÚ SÁINS BILS ÍNTU LÓS?

Who
jú
Who signs
jú sáins
Who signs bills
jú sáins bils

Continúe..........

Who signs bills into
jú sáins bils íntu
Who signs bills into laws?
jú sáins bils íntu lós?

• ESPAÑOL

¿ QUIÉN FIRMA LOS PROYECTOS DE LEY EN LEYES?

• ANSWER # 66 • RESPUESTA # 66

INGLÉS

THE PRESIDENT

PRONUNCIACIÓN

DE PRÉSIDENT

The
de
The President
de président

• ESPAÑOL

EL PRESIDENTE

• QUESTION # 67 • PREGUNTA # 67

INGLÉS

WHAT IS THE HIGHEST COURT IN THE UNITED STATES?

PRONUNCIACIÓN

UÁT IS DE JÁIEST KÓRT IN DE IÚNAITED STÉITS?

What
uát
What is
uát is

Continúe..........

What is the
uát is de
What is the highest
uát is de jáiest
What is the highest court
uát is de jáiest kórt
What is the highest court in
uát is de jáiest kórt in
What is the highest court in the
uát is de jáiest kórt in de
What is the highest court in the United
uát is de jáiest kórt in de iúnaited
What is the highest court in the United States?
uát is de jáiest kórt in de iúnaited stéits?

• ESPAÑOL

¿ CUÁL ES LA CORTE MÁS ALTA DE LOS ESTADOS UNIDOS?

• ANSWER # 67 • RESPUESTA # 67

INGLÉS

THE SUPREME COURT

PRONUNCIACIÓN

DE SUPRÍM KÓRT

The
de
The Supreme
de suprím
The Supreme Court
de suprím kórt

• ESPAÑÓL

LA CORTE SUPREMA DE JUSTICIA

• QUESTION # 687 • PREGUNTA # 68

INGLÉS

WHO WAS THE PRESIDENT DURING THE CIVIL WAR?

PRONUNCIACIÓN

JÚ UÓS DE PRÉSIDENT DIÚRING DE SÍVOL UÓR

Who
jú
Who was
jú uós
Who was the
jú uós de
Who was the President
jú uós de président
Who was the President during
jú uós de président diúring
Who was the President during the
jú uós de président diúring de
Who was the President during the Civil
jú uós de président diúring de sívol
Who was the President during the Civil War?
jú uós de président diúring de sívol uór?

• ESPAÑOL

¿QUIÉN FUE PRESIDENTE DURANTE LA GUERRA CIVIL?

• ANSWER # 68 • RESPUESTA # 68

INGLÉS

ABRAHAM LINCOLN

PRONUNCIACIÓN

ÉIBRAJAM LÍNKON

Continúe..........

Abraham
éibrajam
Abraham Lincoln
éibrajam línkon

• ESPAÑOL

ABRAHAM LINCOLN

• QUESTION # 69 • PREGUNTA # 69

INGLÉS

WHAT DID THE EMANCIPATION PROCLAMATION DO?

PRONUNCIACIÓN

UÁT DID DE EMÁNSIPEÍSHON PROKLAMÉISHON DÚ?

What
uát
What did
uát did
What did the
uát did de
What did the Emancipation
uát did de emánsipéishon
What did the Emancipation Proclamation
uát did de emánsipéishon proklaméishon
What did the Emancipation Proclamation do?
uát did de emánsipéishon proklaméishon dú?

• ESPAÑOL

¿QUÉ SE LOGRÓ MEDIANTE LA PROCLAMA DE EMANCIPACIÓN?

Continúe..........

• ANSWER # 69 • RESPUESTA # 69

INGLÉS

IT LIBERATED THE SLAVES

PRONUNCIACIÓN

ÍT LÍBERÉITED DE SLÉIVS

It
ít
It liberated
ít líberéited
It liberated the
ít líberéited de
It liberated the slaves
ít líberéited de sléivs

• ESPAÑOL

LA LIBERTAD DE LOS ESCLAVOS

• QUESTION # 70 • PREGUNTA # 70

INGLÉS

WHAT SPECIAL GROUP ADVISES THE PRESIDENT?

PRONUNCIACIÓN

UÁT SPÉSHAL GRÚP ADVÁIZES DE PRÉSIDENT?

What
uát
What special
uát spéshal
What special group
uát spéshal grúp
What special group advises
uát spéshal grúp adváizes

Continúe..........

What special group advises the
uát spéshal grúp adváizes de
What special group advises the President?
uát spéshal grúp adváizes de président?

• ESPAÑOL

¿QUÉ GRUPO ESPECIAL ACONSEJA AL PRESIDENTE?

• ANSWER # 70 • RESPUESTA # 70

INGLÉS

THE CABINET

PRONUNCIACIÓN

DE KÁBINET

The
de
The Cabinet
de kábinet

• ESPAÑOL

EL GABINETE

• QUESTION # 71 • PREGUNTA # 71

INGLÉS

WHICH PRESIDENT IS CALLED "THE FATHER OF OUR COUNTRY"

PRONUNCIACIÓN

UÍCH PRÉSIDENT IS KÓLD "DE FÁDER OV ÁUAR KÓNTRI"

Which
uích
Which President
uích président

Continúe..........

Which President is
uích président is
Which President is called
uích président is kóld
Which President is called "The
uích président is kóld "de
Which President is called "The Father
uích président is kóld "de fáder
Which President is called "The Father of
uích président is kóld "de fáder ov
Which President is called "The Father of our
uích président is kóld "de fáder ov áuar
Which President is called "The Father of our Country"
uích président is kóld "de fáder ov áuar kóntri"

• ESPAÑOL

¿ QUÉ PRESIDENTE ES CONOCIDO COMO "EL PADRE DE LA PATRIA" ?

• ANSWER # 71 • RESPUESTA # 71

INGLÉS

GEORGE WASHINGTON

PRONUNCIACIÓN

YIÓRCH UÁSHINGTON

George
yiórch
George Washington
yiórch uáshington

• ESPAÑOL

GEORGE WASHINGTON

• QUESTION # 72 • PREGUNTA # 72

INGLÉS

WHAT IS THE 50th STATE OF THE UNION?

PRONUNCIACIÓN

UÁT IS DE FÍFTIEZ STÉIT OV DE IÚNION

What
uát

What is
uát is

What is the
uát is de

What is the 50th
uát is de fíftiez

What is the 50th state
uát is de fíftiez stéit

What is the 50th state of
uát is de fíftiez stéit ov

What is the 50th state of The
uát is de fíftiez stéit ov de

What is the 50th state of The Union?
uát is de fíftiez stéit ov de iúnion?

• ESPAÑOL

¿ CUÁL ES EL ESTADO NÚMERO CINCUENTA (50) DE LA UNIÓN?

• ANSWER # 72 • RESPUESTA # 72

INGLÉS

HAWAII

PRONUNCIACIÓN

JÁUAII

Hawaii
jáuaii

• ESPAÑOL

HAWAII

• QUESTION # 73 • PREGUNTA # 73

INGLÉS

WHO HELPED THE PILGRIMS IN AMERICA?

PRONUNCIACIÓN

JÚ JÉLPT DE PÍLGRAMZ IN AMÉRIKA?

Who
jú
Who helped
jú jélpt
Who helped the
jú jélpt de
Who helped the Pilgrims
jú jélpt de pílgramz
Who helped the Pilgrims in
jú jélpt de pílgramz in
Who helped the Pilgrims in America?
jú jélpt de pílgramz in amérika?

• ESPAÑOL

¿ QUIÉNES AYUDARON A LOS PEREGRINOS EN AMÉRICA?

• ANSWER # 73 • RESPUESTA # 73

INGLÉS

THE NATIVE AMERICAN INDIAS

PRONUNCIACIÓN

DE NÉITIV AMÉRIKAN ÍNDIANS

The
de
The Native
de néitiv

Continúe..........

The Native American
de néitiv amérikan
The Native American Indians
de néitiv amérikan índians

• ESPAÑOL

LOS INDIOS NATIVOS AMERICANOS

• QUESTION # 74 • PREGUNTA # 74

INGLÉS

WHAT IS THE NAME OF THE SHIP THAT BROUGHT THE PILGRIMS TO AMERICA?

PRONUNCIACIÓN

UÁT IS DE NÉIM OV DE SHÍP DAT BRÓT DE PÍLGRAMZ TÚ AMÉRIKA?

What
uát
What is
uát is
What is the
uát is de
What is the name
uát is de néim
What is the name of
uát is de néim ov
What is the name of the
uát is de néim ov de
What is the name of the ship
uát is de néim ov de shíp
What is the name of the ship that
uát is de néim ov de shíp dat
What is the name of the ship that brought
uát is de néim ov de shíp dat brót

Continúe..........

What is the name of the ship that brought the
uát is de néim ov de shíp dat brót de

What is the name of the ship that brought the Pilgrims
uát is de néim ov de shíp dat brót de pílgramz

What is the name of the ship that brought the Pilgrims to America?
uát is de néim ov de shíp dat brót de pílgramz tú amérika?

• ESPAÑOL

¿CÓMO SE LLAMA EL BARCO QUE TRAJO A LOS PEREGRINOS A AMÉRICA?

• ANSWER # 74 • RESPUESTA # 74

INGLÉS

MAYFLOWER

PRONUNCIACIÓN

MÉIFLÁUER

Mayflower
méifláuer

• ESPAÑOL

MAYFLOWER

• QUESTION # 75 • PREGUNTA # 75

INGLES

WHAT WERE THE THIRTEEN (13) ORIGINAL STATES CALLED?

PRONUNCIACION

UÁT UÉR DE ZERTÍIN ORÍYINAL STÉITS KÓLD?

What
uát

What were
uát uér

Continúe..........

What were the
uát uér de
What were the thirteen (13)
uát uér de zertíin
What were the thirteen (13) original
uát uér de zertíin oríyinal
What were the thirteen (13) original states
uát uér de zertíin oríyinal stéits
What were the thirteen (13) original states called?
uát uér de zertíin oríyinal stéits kóld?

• ESPAÑOL

¿ CÓMO SE LLAMARON LOS TRECE (13) ESTADOS ORIGINALES EN ESTADOS UNIDOS?

• ANSWER # 75 • RESPUESTA # 75

INGLÉS

COLONIES

PRONUNCIACIÓN

KÓLONIS

Colonies
kólonis

• ESPAÑOL

COLONIAS

• QUESTION # 76 • PREGUNTA # 76

INGLÉS

NAME THREE (3) RIGHTS OR FREEDOMS GUARANTEED BY THE BILL OF RIGHTS?

PRONUNCIACIÓN

NÉIM ZRÍ RÁITS OR FRÍDOMS GÁRANTID BÁI DE BIL OV RÁITS?

Name
néim

Continúe..........

Name three (3)
néim zrí
Name three (3) rights
néim zrí ráits
Name three (3) rights or
néim zrí ráits or
Name three (3) rights or freedoms
néim zrí ráits or frídoms
Name three (3) rights or freedoms guaranteed
néim zrí ráits or frídoms gárantid
Name three (3) rights or freedoms guaranteed by
néim zrí ráits or frídoms gárantid bái
Name three (3) rights or freedoms guaranteed by the
néim zrí ráits or frídoms gárantid bái de
Name three (3) rights or freedoms guaranteed by the bill
néim zrí ráits or frídoms gárantid bái de bil
Name three (3) rights or freedoms guaranteed by the bill of
néim zrí ráits or frídoms gárantid bái de bil ov
Name three (3) rights or freedoms guaranteed by the bill of rights?
néim zrí ráits or frídoms gárantid bái de bil ov ráits?

• ESPAÑOL

NOMBRE TRES (3) DERECHOS O LIBERTADES GARANTIZADOS POR LA DECLARACION DE DERECHOS

• ANSWER # 76 • RESPUESTA # 76

INGLÉS

(1) FREEDOM OF SPEECH, RELIGION, PRESS, PEACEABLE ASSEMBLY AND REQUESTING CHANGE OF GOVERNMENT

PRONUNCIACIÓN

FRÍDOM OV SPÍCH, RILÍYON, PRÉS, PÍSIBOL ASÉMBLI AND RICUÉSTING CHÉINCH OV GÓVERNMENT

Continúe..........

Freedom
frídom
Freedom of
frídom ov
Freedom of speech,
frídom ov spích
Freedom of speech, religion,
frídom ov spích, rilíyon,
Freedom of speech, religion, press,
frídom ov spích, rilíyon, prés,
Freedom of speech, religion, press, peaceable
frídom ov spích, rilíyon, prés, písibol
Freedom of speech, religion, press, peaceable assembly
frídom ov spích, rilíyon, prés, písibol asémbli
Freedom of speech, religion, press, peaceable assembly and
frídom ov spích, rilíyon, prés, písibol asémbli and
Freedom of speech, religion, press, peaceable assembly and requesting
frídom ov spích, rilíyon, prés, písibol asémbli and ricuésting
Freedom of speech, religion, press, peaceable assembly and requesting change
frídom ov spích, rilíyon, prés, písibol asémbli and ricuésting chéinch
Freedom of speech, religion, press, peaceable assembly and requesting change of
frídom ov spích, rilíyon, prés, písibol asémbli and ricuésting chéinch ov
Freedom of speech, religion, press, peaceable assembly and requesting change of government
frídom ov spích, rilíyon, prés, písibol asémbli and ricuésting chéinch ov góvernment

Continúe..........

• ESPAÑOL

LIBERTAD DE EXPRESIÓN, RELIGIÓN, PRENSA, DE REUNIRSE PACÍFICAMENTE Y DE CAMBIAR Y ELEGIR A SUS GOBERNANTES

INGLÉS

(2) THE RIGHT TO BEAR ARMS

PRONUNCIACIÓN

DE RÁIT TU BÉR ÁRMS

The
de
The right
de ráit
The right to
de ráit tu
The right to bear
de ráit tu bér
The right to bear arms
de ráit tu bér árms

• ESPAÑOL

EL DERECHO DE PORTAR ARMAS

INGLÉS

(3) THE PEOPLE HAVE RIGHTS OTHER THAN THOSE-MENTIONED IN THE CONSTITUTION

PRONUNCIACIÓN

DE PÍPOL JÅV RÁITS ÓDER DAN DÓUZ MÉNSHIOND IN DE KÓNSTITUSHION

The
de
The people
de pípol

Continúe..........

The people have
de pípol jáv

The people have rights
de pípol jáv ráits

The people have rights other
de pípol jáv ráits óder

The people have rights other than
de pípol jáv ráits óder dan

The people have rights other than those
de pípol jáv ráits óder dan dóuz

The people have rights other than those mentioned
de pípol jáv ráits óder dan dóuz ménshiond

The people have rights other than those mentioned in
de pípol jáv ráits óder dan dóuz ménshiond in

The people have rights other than those mentioned in the
de pípol jáv ráits óder dan dóuz ménshiond in de

The people have rights other than those mentioned in the Constitution
de pípol jáv ráits óder dan dóuz ménshiond in de kónstitushion

• ESPAÑOL

EL PUEBLO TIENE OTROS DERECHOS QUE LOS MENCIONADOS EN LA CONSTITUCIÓN

• QUESTION # 77 • PREGUNTA # 77

INGLÉS

WHO HAS THE POWER TO DECLARE WAR?

PRONUNCIACIÓN

JÚ JAS DE PÁUER TU DIKLÉAR UÓR?

Who
jú

Who has
jú jás

Continúe..........

Who has the
jú jás de

Who has the power
jú jás de páuer

Who has the power to
jú jás de páuer tu

Who has the power to declare
jú jás de páuer tu dikléar

Who has the power to declare war?
jú jás de páuer tu dikléar uór?

• ESPAÑOL

¿QUIÉN TIENE EL PODER DE DECLARAR LA GUERRA?

• ANSWER # 77 • RESPUESTA # 77

INGLÉS

THE CONGRESS

PRONUNCIACIÓN

DE KÓNGRESS

The
de

The Congress
de kóngress

• ESPAÑÓL

EL CONGRESO

• QUESTION # 78 • PREGUNTA # 78

INGLÉS

WHAT KIND OF GOVERNMENT DOES THE UNITED STATES HAVE?

PRONUNCIACIÓN

UÁT KÁIND OV GÓVERNMENT DOS DE IÚNAITED STÉITS JAV?

What
uát

Continúe..........

What kind
uát káind
What kind of
uát káind ov
What kind of government
uát káind ov góvernment
What kind of government does
uát káind ov góvernment dos
What kind of government does the
uát káind ov góvernment dos de
What kind of government does the United
uát káind ov góvernment dos de iúnaited
What kind of government does the United States
uát káind ov góvernment dos de iúnaited stéits
What kind of government does the United States have?
uát káind ov góvernment dos de iúnaited stéits jav?

• ESPAÑOL

¿QUÉ TIPO DE GOBIERNO TIENE LOS ESTADOS UNIDOS?

• ANSWER # 78 • RESPUESTA # 78

INGLÉS

REPUBLIC

PRONUNCIACIÓN

RÍPOBLIK

• ESPAÑOL

REPÚBLICA

• QUESTION # 79 • PREGUNTA # 79

INGLÉS

WHICH PRESIDENT FREED THE SLAVES?

PRONUNCIACIÓN

UÍCH PRÉSIDENT FRÍD DE SLÉIVS?

Wich
uích
Wich President
uích président
Wich President freed
uích président fríd
Wich President freed
uích président fríd
Wich President freed the
uích président fríd de
Wich President freed the
uích président fríd de
Wich President freed the slaves?
uích président fríd de sléivs?

• ESPAÑOL

¿QUÉ PRESIDENTE EMANCIPÓ A LOS ESCLAVOS?

• ANSWER # 79 • RESPUESTA # 79

INGLÉS

ABRAHAM LINCOLN

PRONUNCIACIÓN

ÉIBRAJAM LÍNKON

Abraham
éibrajam
Abraham Lincoln
éibrajam línkon

• ESPAÑOL

ABRAHAM LINCOLN

• QUESTION # 80 • PREGUNTA # 80

INGLÉS

IN WHAT YEAR WAS THE CONSTITUTION WRITTEN?

PRONUNCIACIÓN

IN UÁT YÍAR UÓS DE KÓNSTITUSHION RÍTEN?

In
in

In what
in uát

In what year
in uát yíar

In what year was
in uát yíar uós

In what year was the
in uát yíar uós de

In what year was the Constitution
in uát yíar uós de kónstitushion

In what year was the Constitution written?
in uát yíar uós de kónstitushion ríten?

• ESPAÑOL

¿EN QUÉ AÑO FUE ESCRITA LA CONSTITUCIÓN?

• ANSWER # 80 • RESPUESTA # 80

INGLÉS

1787 SEVENTEEN EIGHT SEVEN

PRONUNCIACIÓN

1787 SEVENTÍIN ÉITI SEVEN

Seventeen
seventíin

Seventeen eighty
seventíin éiti

Seventeen eighty seven
seventíin éiti seven

Continúe..........

• ESPAÑOL

1787 EN MIL SETECIENTOS OCHENTA Y SIETE

• QUESTION # 81 • PREGUNTA # 81

INGLÉS

WHAT ARE THE FIRST TEN (10) AMENDMENTS TO THE CONSTITUTION CALLED?

PRONUNCIACIÓN

UÁT AR DE FÉRST TÉN (10) AMÉNDMENTS TU DE KÓNSTITUSHION KÓLD?

What
uát
What are
uát ar
What are the
uát ar de
What are the first
uát ar de férst
What are the first ten
uát ar de férst tén
What are the first ten amendments
uát ar de férst tén améndments
What are the first ten amendments to
uát ar de férst tén améndments tu
What are the first ten amendments to the
uát ar de férst tén améndments tu de
What are the first ten amendments to the Constitution
uát ar de férst tén améndments tu de kónstitushion
What are the first ten amendments to the Constitution called?
uát ar de férst tén améndments tu de kónstitushion kóld?

• ESPAÑOL

¿CÓMO SE LLAMAN LAS PRIMERAS DIEZ (10) ENMIENDAS DE LA CONSTITUCIÓN?

Continúe..........

• ANSWER # 81 • RESPUESTA # 81

INGLÉS

THE BILL OF RIGHTS

PRONUNCIACIÓN

DE BÍL OV RÁITS

The
de
The Bill
de bíl
The Bill of
de bíl ov
BThe Bill of Rights
de bíl ov ráits

• ESPAÑOL

LA DECLARACIÓN DE DERECHOS

• QUESTION # 82 • PREGUNTA # 82

INGLÉS

NAME ONE PURPOSE OF THE UNITED NATIONS

PRONUNCIACIÓN

NÉIM UÁN PÉRPES OV DE IÚNAITED NÉISHIONS

Name
néim
Name one
néim uán
Name one purpose
néim uán pérpes
Name one purpose of
néim uán pérpes ov
Name one purpose of the
néim uán pérpes ov de
Name one purpose of the United
néim uán pérpes ov de iúnaited

Continúe..........

Name one purpose of the United Nations
néim uán pérpes ov de iúnaited néishons

• ESPAÑOL

NOMBRE UN PROPÓSITO DE LAS NACIONES UNIDAS

• ANSWER # 82 • RESPUESTA # 82

INGLÉS

(1) FOR COUNTRIES TO DISCUSS AND TRY TO RESOLVE WORLD PROBLEMS

PRONUNCIACIÓN

FOR KÓNTRIS TU DISCÓS AND TRÁI TU RISÓLV UÓRLD PRÓBLEMS

For
for
For countries
for kóntris
For countries to
for kóntris tu
For countries to discuss
for kóntris tu discós
For countries to discuss and
for kóntris tu discós and
For countries to discuss and try
for kóntris tu discós and trái
For countries to discuss and try to
for kóntris tu discós and trái tu
For countries to discuss and try to resolve
for kóntris tu discós and trái tu risólv
For countries to discuss and try to resolve world
for kóntris tu discós and trái tu risólv uórld
For countries to discuss and try to resolve world problems
for kóntris tu discós and trái tu risólv uórld próblems

Continúe..........

• ESPAÑOL

QUE LOS PAISES DISCUTAN Y TRATEN DE RESOLVER LOS PROBLEMAS DEL MUNDO

INGLÉS

(2) TO PROVIDE ECONOMIC AID TO MANY COUNTRIES

PRONUNCIACIÓN

TU PROVÁI ECONOMÍC ÉID TU MÉNI KÓNTRIS

To
tu

To provide
tu provái

To provide economic
tu provái economíc

To provide economic aid
tu provái economíc éid

To provide economic aid to
tu provái economíc éid tu

To provide economic aid to many
tu provái economíc éid tu méni

To provide economic aid to many countries
tu provái economíc éid tu méni kóntris

• ESPAÑOL

PROVEER AYUDA ECONÓMICA A MUCHOS PAISES

Continúe..........

• QUESTION # 83 • PREGUNTA # 83

INGLÉS

WHERE DOES CONGRESS MEET?

PRONUNCIACIÓN

UÉAR DOS KÓNGRESS MÍT

Where
uéar
Where does
uéar dos
Where does Congress
uéar dos kóngress
Where does Congress meet?
uéar dos kóngress mít?

• ESPAÑOL

¿DÓNDE SE REUNE EL CONGRESO?

• ANSWER # 83 • RESPUESTA # 83

INGLÉS

IN THE CAPITOL IN WASHINGTON, D.C.

PRONUNCIACIÓN

IN DE KÁPITOL IN UÁSHINGTON DI CI

In
in
In the
in de
In the Capitol
in de kápitol
In the Capitol in
in de kápitol in

Continúe..........

In the Capitol in Washington
in de kápitol in uáshington
In the Capitol in Washington D.C.
in de kápitol in uáshington di. ci.

• ESPAÑOL

EN EL CAPITOLIO EN WASHINGTON D.C.

• QUESTION # 84 • PREGUNTA # 84

INGLÉS

WHOSE RIGHTS ARE GUARANTEED BY THE CONSTITUTION AND THE BILL OF RIGHTS?

PRONUNCIACIÓN

JÚS RÁITS AR GARANTID BÁI DE KÓNSTITUSHION AND DE BIL OV RAITS?

Whose
jús
Whose rights
jús ráits
Whose rights are
jús ráits ar
Whose rights are guaranteed
jús ráits ar garantíd
Whose rights are guaranteed by
jús ráits ar garantíd bái
Whose rights are guaranteed by the
jús ráits ar garantíd bái de
Whose rights are guaranteed by the Constitution
jús ráits ar garantíd bái de kónstitushion
Whose rights are guaranteed by the Constitution and
jús ráits ar garantíd bái de kónstitushion and

Continúe..........

Whose rights are guaranteed by the Constitution and the
jús ráits ar garantíd bái de kónstitushion and de
Whose rights are guaranteed by the Constitution and the bil
jús ráits ar garantíd bái de kónstitushion and de bíl
Whose rights are guaranteed by the Constitution and the bill of
jús ráits ar garantíd bái de kónstitushion and de bíl ov
Whose rights are guaranteed by the Constitution and the bill of rights?
jús ráits ar garantíd bái de kónstitushion and de bíl ov ráits?

• ESPAÑOL

¿DE QUIÉN ESTAN GARANTIZADOS LOS DERECHOS POR LA CONSTITUCIÓN Y POR LA DECLARACIÓN DE DERECHOS?

• ANSWER # 84 • RESPUESTA # 84

INGLÉS

ALL THE PEOPPLE OF THE UNITED STATES CITIZEN OR NOT

PRONUNCIACIÓN

ÓL DE PÍPOL OV DE IÚNAITED STÉITS SÍTIZENS OR NAT

All
ól
All the
ól de
All the people
ól de pípol

Continúe..........

All the people of
ól de pípol ov
All the people of The
ól de pípol ov de
All the people of The United
ól de pípol ov de iúnaited
All the people of The United States
ól de pípol ov de iúnaited stéits
All the people of The United States citizens
ól de pípol ov de iúnaited stéits sítizens
All the people of The United States citizens or
ól de pípol ov de iúnaited stéits sítizens or
All the people of The United States citizens or not
ól de pípol ov de iúnaited stéits sítizens or nat

• ESPAÑOL

DE TODOS EN LOS ESTADOS UNIDOS CIUDADANOS O NO

• QUESTION # 85 • PREGUNTA # 85

INGLÉS

WHAT IS THE INTRODUCTION TO THE CONSTITUTION CALLED?

PRONUNCIACIÓN

UÁT IS DE ÍNTRODOCSHION TU DE KÓNSTITUSHION KÓLD

What
uát
What is
uát is
What is the
uát is de

Continúe..........

What is the introduction
uát is de íntrodocshion
What is the introduction to
uát is de íntrodocshion tu
What is the introduction to the
uát is de íntrodocshion tu de
What is the introduction to the Constitution
uát is de íntrodocshion tu de kónstitushion
What is the introduction to the Constitution called?
uát is de íntrodocshion tu de kónstitushion kóld?

• ESPAÑOL

¿CÓMO SE LLAMA LA INTRODUCCIÓN DE LA CONSTITUCIÓN?

• ANSWER # 85 • RESPUESTA # 85

INGLÉS

THE PREAMBLE

PRONUNCIACIÓN

DE PRÍAMBOL

The
de
The Preamble
de príambol

• ESPAÑOL

EL PREAMBULO

• QUESTION # 86 • PREGUNTA # 86

INGLÉS

NAME ONE BENEFIT OF BEING A CITIZEN OF THE UNITED STATES

PRONUNCIACIÓN

NÉIM UÁN BENEFÍT OV BIÉNG E SÍTIZEN OV DE IÚNAITED STÉITS

Name
néim
Name one
néim uán
Name one benefit
néim uán bénefit
Name one benefit of
néim uán bénefit ov
Name one benefit of being
néim uán bénefit ov biéng
Name one benefit of being a
néim uán bénefit ov biéng e
Name one benefit of being a citizen
néim uán bénefit ov biéng e sítizen
Name one benefit of being a citizen of
néim uán bénefit ov biéng e sítizen ov
Name one benefit of being a citizen of the
néim uán bénefit ov biéng e sítizen ov de
Name one benefit of being a citizen of the United
néim uán bénefit ov biéng e sítizen ov de iúnaited
Name one benefit of being a citizen of the United States
néim uán bénefit ov biéng e sítizen ov de iúnaited stéits

• ESPAÑOL

MENCIONE UN BENEFICIO DE SER CIUDADANO DE LOS ESTADOS UNIDOS

Continúe..........

• ANSWER # 86 • RESPUESTA # 86

INGLÉS

(1) THE RIGHT TO VOTE

PRONUNCIACIÓN

DE RÁIT TU VOÚT

The
de
The right
de ráit
The right to
de ráit tu
The right to vote
de ráit tu vóut

• ESPAÑOL

EL DERECHO A VOTAR

• ANSWER # 86 • RESPUESTA # 86

INGLÉS

(2) OBTAIN FEDERAL GOVERNMENT JOBS

PRONUNCIACIÓN

OBTÉIN FÉDERAL GÓVERNMENT YÁBS

Obtain
obtéin
Obtain federal
obtéin féderal
Obtain federal government
obtéin féderal góvernment
Obtain federal government jobs
obtéin féderal góvernment yábs

• ESPAÑOL

OBTENER TRABAJOS EN EL GOBIERNO FEDERAL

Continúe..........

• ANSWER # 86 • RESPUESTA # 86

INGLÉS

(3) TRAVEL WITH A U.S. PASSPORT

PRONUNCIACIÓN

TRÁVOL UÍZ E IÚ. ES. PÁSPORT

Travel
trávol
Travel with
trávol uíz
Travel with a
trávol uíz e
Travel with a U.S.
trávol uíz e iú. es.
Travel with a U.S. passport
trávol uíz e iú. es.pásport

• ESPAÑOL

(3) VIAJAR CON PASAPORTE DE LOS ESTADOS UNIDOS

• ANSWER # 86 • RESPUESTA # 86

INGLÉS

(4) PETITION FOR CLOSE RELATIVE TO COME TO THE U.S. TO LIVE

PRONUNCIACIÓN

PETÍSHION FOR CLÓUS RÉLATIV TU KÓM TO DE IÚ. ES. TU LIV

Continúe..........

Petition
petíshion
Petition for
petíshion for
Petition for close
petíshion for clóus
Petition for close relative
petíshion for clóus rélativ
Petition for close relative to
petíshion for clóus rélativ tu
Petition for close relative to come
petíshion for clóus rélativ tu kóm
Petition for close relative to come to
petíshion for clóus rélativ tu kóm tu
Petition for close relative to come to the
petíshion for clóus rélativ tu kóm tu de
Petition for close relative to come to the U.S.
petíshion for clóus rélativ tu kóm tu de iú. es
Petition for close relative to come to the U.S. to
petíshion for clóus rélativ tu kóm tu de iú. es tu
Petition for close relative to come to the U.S. to live
petíshion for clóus rélativ tu kóm tu de iú. es. tu lív

• ESPAÑOL

PODER RECLAMAR A FAMILIARES DIRECTOS PARA QUE PUEDAN VENIR A VIVIR A ESTADOS UNIDOS

Continúe..........

• QUESTION # 87 • PREGUNTA # 87

INGLÉS

WHAT IS THE MOST IMPORTANT RIGHT GRANTED TO U.S. CITIZEN?

PRONUNCIACIÓN

UÁT IS DE MÓST IMPÓRTANT RÁIT GRÁNTED TU IÚNAITED STÉITS SÍTIZENS

What
uát

What is
uát is

What is the
uát is de

What is the most
uát is de móst

What is the most important
uát is de móst impórtant

What is the most important right
uát is de móst impórtant ráit

What is the most important right granted
uát is de móst impórtant ráit gránted

What is the most important right granted to
uát is de móst impórtant ráit gránted tu

What is the most important right granted to United
uát is de móst impórtant ráit gránted tu iúnaited

What is the most important right granted to United States
uát is de móst impórtant ráit gránted tu iúnaited stéits

What is the most important right granted to United States citizens
uát is de móst impórtant ráit gránted tu iúnaited stéits sítizens

• ESPAÑOL

¿CUÁL ES EL MÁS IMPORTANTE DERECHO GARANTIZADO A LOS CIUDADANOS?

Continúe..........

• ANSWER # 87 • RESPUESTA # 87

INGLÉS

THE RIGHT TO VOTE

PRONUNCIACIÓN

DE RÁIT TO VÓUT

The
de
The right
uát ráit
The right to
uát ráit tu
The right to vote
uát ráit tu vóut

• ESPAÑOL

EL DERECHO AL VOTO

• QUESTION # 88 • PREGUNTA # 88

INGLÉS

WHAT IS THE UNITED STATES CAPITOL?

PRONUNCIACIÓN

UÁT IS DE IÚNAITED STÉITS KÁPITOL?

What
uát
What is
uát is
What is the
uát is de
What is the United
uát is de iúnaited
What is the United States
uát is de iúnaited stéits
What is the United States Capitol?
uát is de iúnaited stéits kápitol?

• ESPAÑOL

¿QUÉ ES EL CAPITOLIO DE LOS ESTADOS UNIDOS?

Continúe..........

• ANSWER # 88 • RESPUESTA # 88

INGLÉS

THE PLACE WHERE CONGRESS MEETS

PRONUNCIACIÓN

DE PLÉIS UÉAR KÓNGRES MÍTS

The
de
The place
de pléis
The place where
de pléis uéar
The place where Congress
de pléis uéar kóngres
The place where Congress meets
de pléis uéar kóngres míts

• ESPAÑOL

EL LUGAR DONDE SE REUNE EL CONGRESO

• QUESTION # 89 • PREGUNTA # 89

INGLÉS

WHAT IS THE WHITE HOUSE?

PRONUNCIACIÓN

UÁT IS DE UÁIT JÁUS

What
uát
What is
uát is
What is the
uát is de
What is the White
uát is de uáit
What is the White House
uát is de uáit jáus

• ESPAÑOL

¿QUÉ ES LA CASA BLANCA?

Continúe..........

• ANSWER # 89 • RESPUESTA # 89

INGLÉS

THE PRESIDENT'S OFFICIAL HOME

PRONUNCIACIÓN

DE PRÉSIDENTS OFÍSHAL JÓUM

The
de
The President's
de présidents
The President's official
de présidents ofíshal
The President's official home
de présidents ofíshal jóum

• ESPAÑOL

LA RESIDENCIA OFICIAL DEL PRESIDENTE

• QUESTION # 90 • PREGUNTA # 90

INGLÉS

WHERE IS THE WHITE HOUSE LOCATED?

PRONUNCIACIÓN

UÉAR IS DE UÁIT JÁUS LOKÉITED?

Where
uéar
Where is
uéar is
Where is the
uéar is de
Where is the White
uéar is de uáit
Where is the White House
uéar is de uáit jáus

Continúe..........

Where is the White House located?
uéar is de uáit jáus lokéited?

• ESPAÑOL

¿DÓNDE ESTÁ UBICADA LA CASA BLANCA?

• ANSWER # 90 • RESPUESTA # 90

INGLÉS

WASHINGTON D.C. -
1600 PENNSYLVANIA AVE. N.W.

PRONUNCIACIÓN

UÁSHINGTON DI. CI. - SIXTÍIN JÓNDRED
PENSILVÉNIA AVENÚ NÓRZ UÉST

Washington
uáshington

Washington D.C.
uáshington di. ci.

Washington D.C. 1600
uáshington di. ci.sixtíin jóndred

Washington D.C. 1600 Pennsylvania
uáshington di. ci.sixtíin jóndred pensilvénia

Washington D.C. 1600 Pennsylvania Ave.
uáshington di. ci.sixtíin jóndred pensilvénia avenú

Washington D.C. 1600 Pennsylvania Ave. North
uáshington di. ci. sixtíin jóndred pensilvénia avenú nórz

Washington D.C. 1600 Pennsylvania Ave. North West
uáshington di. ci. sixtíin jóndred pensilvénia avenú nórz uést

• QUESTION # 91 • PREGUNTA # 91

INGLÉS

WHAT IS THE NAME OF THE PRESIDENT'S OFFICIAL HOME?

PRONUNCIACIÓN

UÁT IS DE NÉIM OV DE PRÉSIDENTS OFÍSHAL JÓUM?

What
uát

What is
uát is

Continúe..........

What is the
uát is de
What is the name
uát is de néim
What is the name of
uát is de néim ov
What is the name of the
uát is de néim ov de
What is the name of the President's
uát is de néim ov de présidents
What is the name of the President's official
uát is de néim ov de présidents ofíshal
What is the name of the President's official home?
uát is de néim ov de présidents ofíshal jóum?

• ESPAÑOL

¿CÓMO SE LLAMA LA RESIDENCIA OFICIAL DEL PRESIDENTE?

• ANSWER # 91 • RESPUESTA # 91

INGLÉS

THE WHITE HOUSE

PRONUNCIACIÓN

DE UÁIT JÁUS

The
de
The White
de uáit
The White House
de uáit jáus

• ESPAÑOL

LA CASA BLANCA

• QUESTION # 92 • PREGUNTA # 92

INGLÉS

NAME ONE RIGHT GUARANTEED BY THE FIRST AMENDMENT.

PRONUNCIACIÓN

NÉIM UÁN RÁIT GÁRANTID BÁI DE FÉRST AMÉNDMENT

Name
néim
Name one
néim uán
Name one right
néim uán ráit
Name one right guaranteed
néim uán ráit gárantid
Name one right guaranteed by
néim uán ráit gárantid bái
Name one right guaranteed by the
néim uán ráit gárantid bái de
Name one right guaranteed by the first
néim uán ráit gárantid bái de férst
Name one right guaranteed by the first amendment
néim uán ráit gárantid bái de férst améndment

• ESPAÑOL

NOMBRE UN DERECHO GARANTIZADO POR LA PRIMERA ENMIENDA A LA CONSTITUCIÓN

Continúe..........

• ANSWER # 92 • RESPUESTA # 92

INGLÉS

(1) FREEDOM OF SPEECH

PRONUNCIACIÓN

(1) FRÍDOM OV SPÍCH

Freedom
frídom
Freedom of
frídom ov
Freedom of speech
frídom ov spích

• ESPAÑOL

(1) LIBERTAD DE EXPRESIÓN

• ANSWER # 92 • RESPUESTA # 92

INGLÉS

(2) FREEDOM OF PRESS

PRONUNCIACIÓN

(2) FRÍDON OV PRÉS

Freedom
frídom
Freedom of
frídom ov
Freedom of press
frídom ov prés

• ESPAÑOL

(2) LIBERTAD DE PRENSA

• ANSWER # 92 • RESPUESTA # 92

INGLÉS

(3) FREEDOM OF RELIGION

PRONUNCIACIÓN

(3) FRÍDON OV RÍLÍYON

Freedom
frídom
Freedom of
frídom ov

Continúe..........

Freedom of religion
frídom ov rilíyon

• ESPAÑOL

(3) LIBERTAD DE RELIGIÓN

• ANSWER # 92 • RESPUESTA # 92
INGLÉS

(4) THE RIGHT OF PEACEABLE ASSEMBLY

PRONUNCIACIÓN

(4) DE RÁIT OV PÍSEBOL ASÉMBLI

The
de
The right
de ráit
The right of
de ráit ov
The right of peaceable
de ráit ov písebol
The right of peaceable assembly
de ráit ov písebol asémbli

• ESPAÑOL

(4) DERECHO A REUNIRSE PACÍFICAMENTE

• QUESTION # 93 • PREGUNTA # 93
INGLÉS

WHO IS THE COMANDER-IN-CHIEF OF THE U.S. MILITARY?

PRONUNCIACIÓN

JÚ IS DE KOMANDER IN CHÍF OV DE IÚ. ES. MILITÉRI?

Who
jú
Who is
jú is
Who is the
jú is de

Continúe..........

Who is the Comander
jú is de komander
Who is the Comander in
jú is de komander in
Who is the Comander in Chief
jú is de komander in chíf
Who is the Comander in Chief of
jú is de komander in chíf ov
Who is the Comander in Chief of the
jú is de komander in chíf ov de
Who is the Comander in Chief of the U.S.
jú is de komander in chíf ov de iú. es.
Who is the Comander in Chief of the U.S. Military?
jú is de komander in chíf ov de iú. es. militéri?

• ESPAÑOL

¿QUIÉN ES EL COMANDANTE EN JEFE DE LAS FUERZAS MILITARES DE LOS ESTADOS UNIDOS?

• ANSWER # 93 • RESPUESTA # 93

INGLÉS

THE PRESIDENT

PRONUNCIACIÓN

DE PRÉSIDENT

The
de
The President
de président

• ESPAÑOL

EL PRESIDENTE

• QUESTION # 94 • PREGUNTA # 94

INGLÉS

WHICH PRESIDENT WAS THE FIRST COMANDER-IN CHIEF OF THE UNITED STATES MILITARY?

PRONUNCIACIÓN

UÍCH PRÉSIDENT UÓS DE FÉRST KOMÁNDER IN CHÍF DE IÚNAITED STÉITS MILITÉRI?

Which
uích

Which President
uích président

Which President was
uích président uós

Which President was the
uích président uós de

Which President was the first
uích président uós de férst

Which President was the first Comander
uích président uós de férst kománder

Which President was the first Comander in
uích président uós de férst kománder in

Which President was the first Comander in Chief
uích président uós de férst kománder in chíf

Which President was the first Comander in Chief of
uích président uós de férst kománder in chíf ov

Which President was the first Comander in Chief of the
uích président uós de férst kománder in chíf ov de

Which President was the first Comander in Chief of the United
uích président uós de férst kománder in chíf ov de iúnaited

Continúe..........

Which President was the first Comander in Chief of the United States
uích président uós de férst kománder in chíf ov de iúnaited stéits
Which President was the first Comander in Chief of the United States Military?
uích président uós de férst kománder in chíf ov de iúnaited stéits militéri?

• ESPAÑOL

¿QUÉ PRESIDENTE FUÉ EL PRIMER COMANDANTE EN JEFE DE LAS FUERZAS MILITARES DE LOS ESTADOS UNIDOS?

• ANSWER # 94 • RESPUESTA # 94

INGLÉS

GEORGE WASHINGTON

PRONUNCIACIÓN

YIÓRCH UÁSHINGTON

George
yiórch
George Washington
yiórch uáshington

• ESPAÑOL

GEORGE WASHINGTON

• QUESTION # 95 • PREGUNTA # 95

INGLÉS

IN WHAT MONTH DO WE VOTE FOR THE PRESIDENT?

PRONUNCIACIÓN

IN UÁT MÓNZ DU UÍ VÓUT FOR DE PRÉSIDENT?

Continúe..........

In
in
In what
in uát
In what month
in uát mónz
In what month do
in uát mónz du
In what month do we
in uát mónz du uí
In what month do we vote
in uát mónz du uí vóut
In what month do we vote for
in uát mónz du uí vóut for
In what month do we vote for the
in uát mónz du uí vóut for de
In what month do we vote for the President?
in uát mónz du uí vóut for de président?

• ESPAÑOL

¿EN QUÉ MES VOTAMOS POR EL PRESIDENTE?

• ANSWER # 95 • RESPUESTA # 95

INGLÉS

NOVEMBER

PRONUNCIACIÓN

NOVÉMBER

• ESPAÑOL

NOVIEMBRE

• QUESTION # 96 • PREGUNTA # 96

INGLÉS

IN WHAT MONTH IS THE NEW PRESIDENT INAUGURATED?

PRONUNCIACIÓN

IN UÁT MÓNZ IS DE NÚ PRÉSIDENT INÓUGUIUREITED?

Continúe..........

In
in
In what
in uát
In what month
in uát mónz
In what month is
in uát mónz is
In what month is the
in uát mónz is de
In what month is the new
in uát mónz is de nú
In what month is the new President
in uát mónz is de nú président
In what month is the new President inaugurated?
in uát mónz is de nú président inóuguiureited?

• ESPAÑOL

¿ EN QUÉ MES TOMA POSESIÓN EL NUEVO PRESIDENTE?

• ANSWER # 96 • RESPUESTA # 96

INGLÉS

JANUARY

PRONUNCIACIÓN

YÁNUARI

• ESPAÑOL

ENERO

• QUESTION # 97 • PREGUNTA # 97

INGLÉS

HOW MANY TIMES MAY A SENATOR BE RE-ELECTED?

PRONUNCIACIÓN

JÁU MÉNI TÁIMS MÉI E SÉNATOR BI RI ILÉCTED

Continúe..........

How
jáu
How many
jáu méni
How many times
jáu méni táims
How many times may
jáu méni táims meí
How many times may a
jáu méni táims meí e
How many times may a Senator
jáu méni táims meí e sénator
How many times may a Senator be
jáu méni táims meí e sénator bi
How many times may a Senator be re-elected?
jáu méni táims meí e sénator bi ri ilécted?

• ESPAÑOL

¿ CUÁNTAS VECES PUEDE SER RE-ELEGIDO UN SENADOR?

• ANSWER # 97 • RESPUESTA # 97

INGLÉS

THERE IS NO LIMIT

PRONUNCIACIÓN

DÉAR IS NO LÍMIT

There
déar
There is
déar is
There is no
déar is no
There is no limit
déar is no límit

• ESPAÑOL

NO EXISTE LÍMITE

Continúe..........

• QUESTION # 98 • PREGUNTA # 98

INGLÉS

HOW MANY TIMES MAY A CONGRESSMAN BE RE-ELECTED?

PRONUNCIACIÓN

JÁU MÉNI TÁIMS MÉI E KÓNGRESMAN BI RI ILÉCTED?

How
jáu
How many
jáu méni
How many times
jáu méni táims
How many times may
jáu méni táims meí
How many times may a
jáu méni táims meí e
How many times may a Congressman
jáu méni táims meí e kóngresman
How many times may a Congressman be
jáu méni táims meí e kóngresman bi
How many times may a Congressman be re-elected?
jáu méni táims meí e kóngresman bi ri ilécted?

• ESPAÑOL

¿ CUÁNTAS VECES PUEDE SER RE-ELEGIDO UN REPRESENTANTE?

• ANSWER # 98 • RESPUESTA # 98

INGLÉS

THERE IS NO LIMIT

PRONUNCIACIÓN

DEÁR IS NO LÍMIT

Continúe..........

There
déar
There is
déar is
There is no
déar is no
There is no limit
déar is no límit

• ESPAÑOL

NO EXISTE LÍMITE

• QUESTION # 99 • PREGUNTA # 99

INGLÉS

WHAT ARE THE TWO (2) MAJOR POLITICAL PARTIES IN THE UNITED STATES TODAY?

PRONUNCIACIÓN

UÁT AR DE TÚ MÉIYOR POLÍTIKAL PÁRTIS IN DE IÚNAITED STÉITS TUDÉI?

What
uát
What are
uát ar
What are the
uát ar de
What are the two
uát ar de tú
What are the two major
uát ar de tú méiyor
What are the two major political
uát ar de tú méiyor polítikal
What are the two major political parties
uát ar de tú méiyor polítikal pártis
What are the two major political parties in
uát ar de tú méiyor polítikal pártis in

Continúe..........

What are the two major political parties in the
uát ar de tú méiyor polítikal pártis in de
What are the two major political parties in the United
uát ar de tú méiyor polítikal pártis in de iúnaited
What are the two major political parties in the United States
uát ar de tú méiyor polítikal pártis in de iúnaited stéits
What are the two major political parties in the United States today?
uát ar de tú méiyor polítikal pártis in de iúnaited stéits tudéi?

• ESPAÑOL

¿ CUÁLES SON LOS DOS PRINCIPALES PARTIDOS POLÍTICOS EN LOS ESTADOS UNIDOS ACTUALMENTE?

• ANSWER # 99 • RESPUESTA # 99

INGLÉS

DEMOCRATIC AND REPUBLICAN

PRONUNCIACIÓN

DEMOKRÁTIC AND RIPÓBLIKAN

Democratic
demokrátic
Democratic and
demokrátic and
Democratic and Republican
demokrátic and ripóblikan
Democratic and Republican
demokrátic and ripóblikan

• ESPAÑOL

DEMÓCRATA Y REPUBLICANO

• QUESTION # 100 • PREGUNTA # 100

INGLÉS

HOW MANY STATES ARE THERE IN THE UNITED STATES?

PRONUNCIACIÓN

JÁU MÉNI STÉITS AR DÉAR IN DE IÚNAITED STÉITS?

How
jáu
How many
jáu méni
How many states
jáu méni stéits
How many states are
jáu méni stéits ar
How many states are there
jáu méni stéits ar déar
How many states are there in
jáu méni stéits ar déar in
How many states are there in the
jáu méni stéits ar déar in de
How many states are there in the United
jáu méni stéits ar déar in de iúnaited
How many states are there in the United States?
jáu méni stéits ar déar in de iúnaited stéits?

• ANSWER # 100 • RESPUESTA # 100

INGLÉS

FIFTY (50)

PRONUNCIACIÓN

FÍFTI

• ESPAÑOL

CINCUENTA (50)

El Proceso de Naturalización culmina con una citación para tomar el Juramento de Lealtad a los Estados Unidos así como La Promesa de Lealtad a la Bandera.

Por lo que Ud. debe conocerlos y ser capáz de repetirlos el día de la Jura para la Adquisición de la Ciudadanía Americana.

OATH OF ALLEGIANCE
OÚZ OV ELÍYANS
JURAMENTO DE LEALTAD

I Hereby declare on oath, that I absolutely
aí jerbaí díkler on oúz dát ái ábsolutli
Yo por este medio declaro bajo Juramento que yo absolutamente

and entirely renounce and abjure all allegiance
and entáireli rináuns and abyúr ól elíyans
y enteramente renuncio y abjuro toda lealtad

and fidelity to any foreing Prince, Potentate
and fidéliti tu éni fóren príns pótenteit
y fidelidad a cualquier Principe extranjero, Potentado

State or sovereignty of whom or wich
stéit or sóverenti ov júm or uích
Estado o soberania de la cual

I have heretofore been a subject or
ai jav jíartufor bín e sóbyect or
Yo he hasta el presente sido subdito o

Citizen that I will support and
sítizen dat ái uíl séport and
Ciudadano que yo apoyare y

defend the Constitution and Laws of the
difend de Kónstitushion and lós ov de
defendere la Costitución y las Leyes de los

United States of America against all enemies
lúnaited stéits ov amérika aguéinst ól énemis
Estados Unidos de America en contra de todos los enemigos

Continúe..........

foreign and domestic, that I will bear true
fóren and domestik dat ái uíl ber trú
extranjeros y nacionales que yo sostendre verdadera

faith and allegiance to the same; that I
féiz and elíyans tu de séim dat ái
fé y Lealtad a la misma que yo

will bear arms on behalf of the United States
uíl ber árms on bijáf ov de iúnaited stéits
pelearé con las armas a favor de los Estados Unidos

or perform noncombatant service in
or pérform nónkombatent sérvis in
o desempeñaré servicios no combatientes en

the Armed Forces of the United States when
de ármd fórz ov de iúnaited stéits uén
las Fuerzas Armadas de los Estados Unidos cuando

required by law; and that I take this
ríkuaird bái ló and dat ái téik dis
esto sea requerido por la Ley y que yo acepto esta

Obligation freely without any mental reservation
obliguéshion fríli uídaut éni méntal réserveshion
obligacion libremente sin ninguna reserva mental

or purpose of evasion; so help me God
or pérpes ov íveishon só jelp mi gád
o propósito de evasión asi Dios me salve.

Al final del Juramento de Lealtad deberá decir también la Promesa de Lealtad a la Bandera, por lo que se lo debe aprender.

PLEDGE OF ALLEGIANCE TO THE FLAG
PLÉASH OV ELÍYANS TU DE FLAG
PROMESA DE LEALTAD A LA BANDERA

I Pledge allegiance to the flag
ái pléash elíyans tu de flag
Yo prometo lealtad a la Bandera

of the United States of America, and
ov de iúnaited stéits ov amérika, and
de los Estados Unidos de America y

to the republic for which it stands
tu de ripóblik for uích it stands
a la República que representa

one Nation under God, indivisible,
uán néishon onder gad, indivísibol
una Nación bajo Dios, indivisible

with liberty and justice for all
uíz líberti and yóstiz for ól
con Libertad y Justicia para todos.

PREAMBLE OF THE CONSTITUTION
OF THE UNITED STATES OF AMERICA

PRÍAMBOL OV DE KÓSTITUSHION OV DE IÚNAITED STÉITS OV AMÉRICA

PREAMBULO DE LA CONSTITUCIÓN DE LOS
ESTADOS UNIDOS DE AMERICA

We the people of the United States,
uí de pípol ov de iúnaited Stéits
Nosotros el Pueblo de los Estados Unidos

in order to form a more perfect, Union
in órder tu form e mor pérfect iúnion
con el fin de formar una Unión más perfecta,

stablish Justice, insure domestic tranquility
stáblich yóstis, inchúar doméstik tranquíliti
establecer la justicia, asegurar la tranquilidad nacional

provide for the common defense,
prováid for de kómon diféns
proporcionar los medios para la defensa común

promote the general walfare and secure
promóut de yéneral uélfear and sekíur
fomentar el bienestar general y asegurar

the blessing of liberty to ourselves
de blésin ov liberti tu áuarselvs
la bendición de la libertad para nosotros

and our posterity, do ordain and establish
and aúar postériti du ordéin and estáblich
y nuestra posteridad, ordenamos y establecemos

this Constitution for the United States of América
dis Kónstituchion for de iúnaited Stéits ov América
esta Constitución para los Estados Unidos de América.

PREGUNTAS GENERALES

El proceso de Ciudadanía, también consta de preguntas personales que le realizará el Oficial de Inmigración, generalmente basadas en la información, biográfica ofrecida por Ud. y en su aplicación, así como que Ud. debe ser capáz de escribir en inglés, por lo que debe practicar las respuestas e información que Ud. brindó en su aplicación para adquirir la Ciudadanía Americana.

S. Department of Justice
migration and Naturalization Service

OMB #1115-0009
Application for Naturalization

TART HERE - Please Type or Print

FOR INS USE ONLY

Returned	Receipt
Resubmitted	
Reloc Sent	
Reloc Rec'd	
☐ Applicant Interviewed	

At interview
☐ request naturalization ceremony at court

Remarks

Action

To Be Completed by
***Attorney or Representative*, if any**
☐ Fill in box if G-28 is attached to represent the applicant

VOLAG#

ATTY State License #

art 1. Information about you.

mily ame	Given Name	Middle Initial

S. Mailing Address - Care of

Street Number and Name	Apt. #
City	County
State	ZIP Code
ate of Birth onth/day/year)	Country of Birth
cial curity #	A #

art 2. Basis for Eligibility *(check one)*.

☐ I have been a permanent resident for at least five (5) years .
☐ I have been a permanent resident for at least three (3) years and have been married to a United States Citizen for those three years.
☐ I am a permanent resident child of United States citizen parent(s) .
☐ I am applying on the basis of qualifying military service in the Armed Forces of the U.S. and have attached completed Forms N-426 and G-325B
☐ Other. (Please specify section of law) ____________

'art 3. Additional information about you.

ate you became a permanent sident (month/day/year)	Port admitted with an immmigrant visa or INS Office where granted adjustment of status.

tizenship

ame on alien registration card (if different than in Part 1)

her names used since you became a permanent resident (including maiden name)

x ☐ Male ☐ Female	Height	Marital Status: ☐ Single ☐ Married ☐ Divorced ☐ Widowed

an you speak, read and write English ? ☐No ☐Yes.

osences from the U.S.:

ave you been absent from the U.S. since becoming a permanent resident? ☐ No ☐Yes.

you answered **"Yes"** , complete the following, Begin with your most recent absence. If you ed more room to explain the reason for an absence or to list more trips, continue on separate per.

Date left U.S.	Date returned	Did absence last 6 months or more?	Destination	Reason for trip
		☐ Yes ☐ No		
		☐ Yes ☐ No		
		☐ Yes ☐ No		
		☐ Yes ☐ No		
		☐ Yes ☐ No		
		☐ Yes ☐ No		

rm N-400 (Rev. 07/17/91)N

Continued on back.

Part 4. Information about your residences and employment.

A. List your addresses during the last five (5) years or since you became a permanent resident, whichever is less. Begin with your current address. If you need more space, continue on separate paper:

Street Number and Name, City, State, Country, and Zip Code	Dates (month/day/year)	
	From	To

B. List your employers during the last five (5) years. List your present or most recent employer first. If none, write "None". If you need more space, continue on separate paper.

Employer's Name	Employer's Address	Dates Employed (month/day/year)		Occupation/position
	Street Name and Number - City, State and ZIP Code	From	To	

Part 5. Information about your marital history.

A. Total number of times you have been married ______ . If you are now married, complete the following regarding your husband or wife.

Family name	Given name	Middle initial
Address		

Date of birth (month/day/year)	Country of birth	Citizenship
Social Security#	A# *(if applicable)*	Immigration status (If not a U.S. citizen)

Naturalization (If applicable)
(month/day/year) Place (City, State)

If you have ever previously been married or if your current spouse has been previously married, please provide the following on separate paper: Name of prior spouse, date of marriage, date marriage ended, how marriage ended and immigration status of prior spouse.

Part 6. Information about your children.

B. Total Number of Children ________ . Complete the following information for each of your children. If the child lives with you, state "with me" in the address column; otherwise give city/state/country of child's current residence. If deceased, write "deceased" in the address column. If you need more space, continue on separate paper.

Full name of child	Date of birth	Country of birth	Citizenship	A - Number	Address

Form N-400 (Rev 07/17/91)N

Continued on next page

Continued on back

Part 7. Additional eligibility factors.

Please answer each of the following questions. If your answer is **"Yes"**, explain on a separate paper.

1. Are you now, or have you ever been a member of, or in any way connected or associated with the Communist Party, or ever knowingly aided or supported the Communist Party directly, or indirectly through another organization, group or person, or ever advocated, taught, believed in, or knowingly supported or furthered the interests of communism? ☐ Yes ☐ No
2. During the period March 23, 1933 to May 8, 1945, did you serve in, or were you in any way affiliated with, either directly or indirectly, any military unit, paramilitary unit, police unit, self-defense unit, vigilante unit, citizen unit of the Nazi party or SS, government agency or office, extermination camp, concentration camp, prisoner of war camp, prison, labor camp, detention camp or transit camp, under the control or affiliated with:
   a. The Nazi Government of Germany? ☐ Yes ☐ No
   b. Any government in any area occupied by, allied with, or established with the assistance or cooperation of, the Nazi Government of Germany? ☐ Yes ☐ No

. Have you at any time, anywhere, ever ordered, incited, assisted, or otherwise participated in the persecution of any person because of race, religion, national origin, or political opinion? ☐ Yes ☐ No

. Have you ever left the United States to avoid being drafted into the U.S. Armed Forces? ☐ Yes ☐ No

. Have you ever failed to comply with Selective Service laws? ☐ Yes ☐ No

If you have registered under the Selective Service laws, complete the following information:

Selective Service Number:______________________ Date Registered:_____________

If you registered before 1978, also provide the following:

Local Board Number:______________________ Classification:_________________

. Did you ever apply for exemption from military service because of alienage, conscientious objections or other reasons? ☐ Yes ☐ No

. Have you ever deserted from the military, air or naval forces of the United States? ☐ Yes ☐ No

. Since becoming a permanent resident , have you ever failed to file a federal income tax return ? ☐ Yes ☐ No

. Since becoming a permanent resident , have you filed a federal income tax return as a nonresident or failed to file a federal return because you considered yourself to be a nonresident? ☐ Yes ☐ No

0 Are deportation proceedings pending against you, or have you ever been deported, or ordered deported, or have you ever applied for suspension of deportation? ☐ Yes ☐ No

1. Have you ever claimed in writing, or in any way, to be a United States citizen? ☐ Yes ☐ No

2. Have you ever:
   a. been a habitual drunkard? ☐ Yes ☐ No
   b. advocated or practiced polygamy? ☐ Yes ☐ No
   c. been a prostitute or procured anyone for prostitution? ☐ Yes ☐ No
   d. knowingly and for gain helped any alien to enter the U.S. illegally? ☐ Yes ☐ No
   e. been an illicit trafficker in narcotic drugs or marijuana? ☐ Yes ☐ No
   f. received income from illegal gambling? ☐ Yes ☐ No
   g. given false testimony for the purpose of obtaining any immigration benefit? ☐ Yes ☐ No

3. Have you ever been declared legally incompetent or have you ever been confined as a patient in a mental institution? ☐ Yes ☐ No

. Were you born with, or have you acquired in same way, any title or order of nobility in any foreign State? ☐ Yes ☐ No

5. Have you ever:
   a. knowingly committed any crime for which you have not been arrested? ☐ Yes ☐ No
   b. been arrested, cited, charged, indicted, convicted, fined or imprisoned for breaking or violating any law or ordinance excluding traffic regulations? ☐ Yes ☐ No

f you answer yes to 15 , in your explanation give the following information for each incident or occurrence the **city**, **state**, and **untry**, where the offense took place, the **date** and **nature** of the offense, and the **outcome** or **disposition** of the case).

Part 8. Allegiance to the U.S.

If your answer to any of the following questions is **"NO"**, attach a full explanation:

1. Do you believe in the Constitution and form of government of the U.S.? ☐ Yes ☐ No
2. Are you willing to take the full Oath of Allegiance to the U.S.? (see instructions) ☐ Yes ☐ No
3. If the law requires it, are you willing to bear arms on behalf of the U.S.? ☐ Yes ☐ No
4. If the law requires it, are you willing to perform noncombatant services in the Armed Forces of the U.S.? ☐ Yes ☐ No
5. If the law requires it, are you willing to perform work of national importance under civilian direction? ☐ Yes ☐ No

Continued on back

Part 9. Memberships and organizations.

A. List your present and past membership in or affiliation with every organization, association, fund, foundation, party, club, society, or similar group in the United States or in any other place. Include any military service in this part. If none, write "none". Include the name of organization, location, dates of membership and the nature of the organization. If additional space is needed, use separate paper.

____

____

____

____

Part 10. Complete only if you checked block " C " in Part 2.

How many of your parents are U.S. citizens? ☐ One ☐ Both (Give the following about one U.S. citizen parent:)

Family Name | Given Name | Middle Name

Address

Basis for citizenship:
☐ Birth
☐ Naturalization Cert. No.

Relationship to you (check one): ☐ natural parent ☐ adoptive parent
☐ parent of child legitimated after birth

If adopted or legitimated after birth, give date of adoption or, legitimation: *(month/day/year)* ______________

Does this parent have legal custody of you? ☐ Yes ☐ No

(Attach a copy of relating evidence to establish that you are the child of this U.S. citizen and evidence of this parent's citizenship.)

Part 11. Signature. *(Read the information on penalties in the instructions before completing this section).*

I certify or, if outside the United States, I swear or affirm, under penalty of perjury under the laws of the United States of America that this application, and the evidence submitted with it, is all true and correct. I authorize the release of any information from my records which the Immigration and Naturalization Service needs to determine eligibility for the benefit I am seeking.

Signature **Date**

Please Note: *If you do not completely fill out this form, or fail to submit required documents listed in the instructions, you may not be found eligible for naturalization and this application may be denied.*

Part 12. Signature of person preparing form if other than above. *(Sign below)*

I declare that I prepared this application at the request of the above person and it is based on all information of which I have knowledge.

Signature **Print Your Name** **Date**

Firm Name
and Address

DO NOT COMPLETE THE FOLLOWING UNTIL INSTRUCTED TO DO SO AT THE INTERVIEW

I swear that I know the contents of this application, and supplemental pages 1 through_______, that the corrections , numbered 1 through_______, were made at my request, and that this amended application, is true to the best of my knowledge and belief.

____
(Complete and true signature of applicant)

Subscribed and sworn to before me by the applicant.

____
(Examiner's Signature) *Date*

Form N-400 (Rev 07/17/91)N

U.S. GOVERNMENT PRINTING OFFICE : 1997 O - 176-348

U.S. Department of Justice

Immigration and Naturalization Service

OMB #1115-0009

Application for Naturalization

INSTRUCTIONS

'urpose of This Form.
'his form is for use to apply to become a naturalized itizen of the United States.

Vho May File.
'ou may apply for naturalization if:

- you have been a lawful permanent resident for five years;
- you have been a lawful permanent resident for three years, have been married to a United States citizen for those three years, and continue to be married to that U.S. citizen;
- you are the lawful permanent resident child of United States citizen parents; or
- you have qualifying military service.

:hildren under 18 may automatically become citizens 'hen their parents naturalize. You may inquire at your ›cal Service office for further information. If you do not ıeet the qualifications listed above but believe that you re eligible for naturalization, you may inquire at your ›cal Service office for additional information.

:eneral Instructions.
lease answer all questions by typing or clearly printing in lack ink. Indicate that an item is not applicable with N/A". If an answer is "none," write "none". If you need xtra space to answer any item, attach a sheet of paper 'ith your name and your alien registration number (A#), any, and indicate the number of the item.

:very application must be properly signed and filed with ıe correct fee. If you are under 18 years of age, your arent or guardian must sign the application.

f you wish to be called for your examination at the same me as another person who is also applying for aturalization, make your request on a separate cover heet. Be sure to give the name and alien registration umber of that person.

nitial Evidence Requirements.
'ou must file your application with the following vidence:

copy of your alien registration card.

'hotographs. You must submit two color photographs of ourself taken within 30 days of this application. These hotos must be glossy, unretouched and unmounted, and ave a white background. Dimension of the face should e about 1 inch from chin to top of hair. Face should be '4 frontal view of right side with right ear visible. Using encil or felt pen, lightly print name and A#, if any, on e back of each photo. This requirement may be waived y the Service if you can establish that you are confined ecause of age or physical infirmity.

Fingerprints. If you are between the ages of 14 and 75, you must submit your fingerprints on Form FD-258. Fill out the form and write your Alien Registration Number in the space marked "Your No. OCA" or "Miscellaneous No. MNU". Take the chart and these instructions to a police station, sheriff's office or an office of this Service, or other reputable person or organization for fingerprinting. (You should contact the police or sheriff's office before going there since some of these offices do not take fingerprints for other government agencies.) You must sign the chart in the presence of the person taking your fingerprints and have that person sign his/her name, title, and the date in the space provided. Do not bend, fold, or crease the fingerprint chart.

U.S. Military Service. If you have ever served in the Armed Forces of the United States at any time, you must submit a completed Form G-325B. If your application is based on your military service you must also submit Form N-426, "Request for Certification of Military or Naval Service."

Application for Child. If this application is for a permanent resident child of U.S. citizen parents, you must also submit copies of the child's birth certificate, the parents' marriage certificate, and evidence of the parents' U.S. citizenship. If the parents are divorced, you must also submit the divorce decree and evidence that the citizen parent has legal custody of the child.

Where to File.
File this application at the local Service office having jurisdiction over your place of residence.

Fee.
The fee for this application is **$95.00.** The fee must be submitted in the exact amount. It cannot be refunded. **DO NOT MAIL CASH.**

All checks and money orders must be drawn on a bank or other institution located in the United States and must be payable in United States currency. The check or money order should be made payable to the Immigration and Naturalization Service, except that:

- If you live in Guam, and are filing this application in Guam, make your check or money order payable to the "Treasurer, Guam."
- If you live in the Virgin Islands, and are filing this application in the Virgin Islands, make your check or money order payable to the "Commissioner of Finance of the Virgin Islands."

Checks are accepted subject to collection. An uncollected check will render the application and any document issued invalid. A charge of $5.00 will be imposed if a check in payment of a fee is not honored by the bank on which it is drawn.

orm N-400 (Rev. 07/17/91)N / (Rev. 05/8/96)Y Fee change only

Processing Information.
Rejection. Any application that is not signed or is not accompanied by the proper fee will be rejected with a notice that the application is deficient. You may correct the deficiency and resubmit the application. However, an application is not considered properly filed until it is accepted by the Service.

Requests for more information. We may request more information or evidence. We may also request that you submit the originals of any copy. We will return these originals when they are no longer required.

Interview. After you file your application, you will be notified to appear at a Service office to be examined under oath or affirmation. This interview may not be waived. If you are an adult, you must show that you have a knowledge and understanding of the history, principles, and form of government of the United States. There is no exemption from this requirement.

You will also be examined on your ability to read, write, and speak English. If on the date of your examination you are more than 50 years of age and have been a lawful permanent resident for 20 years or more, or you are 55 years of age and have been a lawful permanent resident for at least 15 years, you will be exempt from the English language requirements of the law. If you are exempt, you may take the examination in any language you wish.

Oath of Allegiance. If your application is approved, you will be required to take the following oath of allegiance to the United States in order to become a citizen:

"I hereby declare, on oath, that I absolutely and entirely renounce and abjure all allegiance and fidelity to any foreign prince, potentate, state or sovereignty, of whom or which I have heretofore been a subject or citizen; that I will support and defend the Constitution and laws of the United States of America against all enemies, foreign and domestic; that I will bear true faith and allegiance to the same; that I will bear arms on behalf of the United States when required by the law; that I will perform noncombatant service in the armed forces of the United States when required by the law; that I will perform work of national importance under civilian direction when required by the law; and that I take this obligation freely without any mental reservation or purpose of evasion; so help me God."

If you cannot promise to bear arms or perform noncombatant service because of religious training and belief, you may omit those statements when taking the oath. "Religious training and belief" means a person's belief in relation to a Supreme Being involving duties superior to those arising from any human relation, but does not include essentially political, sociological, or philosophical views or merely a personal moral code.

Oath ceremony. You may choose to have the oath of allegiance administered in a ceremony conducted by the Service or request to be scheduled for an oath ceremony in a court that has jurisdiction over the applicant's place of residence. At the time of your examination you will be asked to elect either form of ceremony. You will become a citizen on the date of the oath ceremony and the Attorney General will issue a Certificate of Naturalization as evidence of United States citizenship.

If you wish to change your name as part of the naturalization process, you will have to take the oath in court.

Penalties.
If you knowingly and willfully falsify or conceal a material fact or submit a false document with this request, we will deny the benefit you are filing for, and may deny any other immigration benefit. In addition, you will face severe penalties provided by law, and may be subject to criminal prosecution.

Privacy Act Notice.
We ask for the information on this form, and associated evidence, to determine if you have established eligibility for the immigration benefit you are filing for. Our legal right to ask for this information is in 8 USC 1439, 1440, 1443, 1445, 1446, and 1452. We may provide this information to other government agencies. Failure to provide this information, and any requested evidence, may delay a final decision or result in denial of your request.

Paperwork Reduction Act Notice.
We try to create forms and instructions that are accurate, can be easily understood, and which impose the least possible burden on you to provide us with information. Often this is difficult because some immigration laws are very complex. Accordingly, the reporting burden for this collection of information is computed as follows: (1) learning about the law and form, 20 minutes; (2) completing the form, 25 minutes; and (3) assembling and filing the application (includes statutory required interview and travel time, after filing of application), 3 hours and 35 minutes, for an estimated average of 4 hours and 20 minutes per response. If you have comments regarding the accuracy of this estimate, or suggestions for making this form simpler, you can write to both the Immigration and Naturalization Service, 425 I Street, N.W., Room 5304, Washington, D.C. 20536; and the Office of Management and Budget, Paperwork Reduction Project, OMB No. 1115-0009, Washington, D.C. 20503.

For sale by the U.S. Government Printing Office
Superintendent of Documents, Mail Stop: SSOP, Washington, DC 20402-9328

APPLICANT

LEAVE BLANK

TYPE OR PRINT ALL INFORMATION IN BLACK

LAST NAME NAM FIRST NAME MIDDLE NAME

FBI LEAVE BLANK

SIGNATURE OF PERSON FINGERPRINTED

ALIASES AKA

ORI

RESIDENCE OF PERSON FINGERPRINTED

DATE OF BIRTH DOB Month Day Year

CITIZENSHIP CTZ

SEX RACE HGT. WGT. EYES HAIR

PLACE OF BIRTH POB

DATE

SIGNATURE OF OFFICIAL TAKING FINGERPRINTS

YOUR NO. OCA

LEAVE BLANK

EMPLOYER AND ADDRESS

FBI NO. FBI

CLASS

ARMED FORCES NO. MNU

REASON FINGERPRINTED

SOCIAL SECURITY NO. SOC

REF.

MISCELLANEOUS NO. MNU

1. R. THUMB	2. R. INDEX	3. R. MIDDLE	4. R. RING	5. R. LITTLE
6. L. THUMB	7. L. INDEX	8. L. MIDDLE	9. L. RING	10. L. LITTLE

LEFT FOUR FINGERS TAKEN SIMULTANEOUSLY	L. THUMB	R. THUMB	RIGHT FOUR FINGERS TAKEN SIMULTANEOUSLY

UNICOR FEDERAL PRISON INDUSTRIES INC.
LEAVENWORTH, KANSAS Phone (913) 682-8700 ext.465

INSTRUCTIONS: USE TYPEWRITER. BE SURE ALL COPIES ARE LEGIBLE. Failure to answer fully all questions delays action. Do Not Remove Carbons: If typewriter is not available, print heavily in block letters with ball-point pen.

U.S. Department of Justice
Immigration and Naturalization Service

FORM G-325A

BIOGRAPHIC INFORMATION

OMB No. 1115-0066

(Family name)	(First name)	(Middle name)	☐ MALE ☐ FEMALE	BIRTHDATE (Mo.-Day-Yr.)	NATIONALITY	FILE NUMBER A-
ALL OTHER NAMES USED (Including names by previous marriages)			CITY AND COUNTRY OF BIRTH			SOCIAL SECURITY NO. (If any)

	FAMILY NAME	FIRST NAME	DATE, CITY AND COUNTRY OF BIRTH (If known)	CITY AND COUNTRY OF RESIDENCE
FATHER				
MOTHER (Maiden name)				

HUSBAND (If none, so state) OR WIFE	FAMILY NAME (For wife, give maiden name)	FIRST NAME	BIRTHDATE	CITY & COUNTRY OF BIRTH	DATE OF MARRIAGE	PLACE OF MARRIAGE

FORMER HUSBANDS OR WIVES (if none, so state)

FAMILY NAME (For wife, give maiden name)	FIRST NAME	BIRTHDATE	DATE & PLACE OF MARRIAGE	DATE AND PLACE OF TERMINATION OF MARRIAGE

APPLICANT'S RESIDENCE LAST FIVE YEARS. LIST PRESENT ADDRESS FIRST.

STREET AND NUMBER	CITY	PROVINCE OR STATE	COUNTRY	FROM MONTH	FROM YEAR	TO MONTH	TO YEAR
						PRESENT TIME	

APPLICANT'S LAST ADDRESS OUTSIDE THE UNITED STATES OF MORE THAN ONE YEAR

STREET AND NUMBER	CITY	PROVINCE OR STATE	COUNTRY	FROM MONTH	FROM YEAR	TO MONTH	TO YEAR

APPLICANT'S EMPLOYMENT LAST FIVE YEARS. (IF NONE, SO STATE.) LIST PRESENT EMPLOYMENT FIRST

FULL NAME AND ADDRESS OF EMPLOYER	OCCUPATION (SPECIFY)	FROM MONTH	FROM YEAR	TO MONTH	TO YEAR
				PRESENT TIME	

Show below last occupation abroad if not shown above. (Include all information requested above.)

THIS FORM IS SUBMITTED IN CONNECTION WITH APPLICATION FOR: ☐ NATURALIZATION ☐ STATUS AS PERMANENT RESIDENT ☐ OTHER (SPECIFY)	SIGNATURE OF APPLICANT	DATE
Are all copies legible? ☐ **Yes**	IF YOUR NATIVE ALPHABET IS IN OTHER THAN ROMAN LETTERS, WRITE YOUR NAME IN YOUR NATIVE ALPHABET IN THIS SPACE	

PENALTIES: SEVERE PENALTIES ARE PROVIDED BY LAW FOR KNOWINGLY AND WILLFULLY FALSIFYING OR CONCEALING A MATERIAL FACT

APPLICANT: BE SURE TO PUT YOUR NAME AND ALIEN REGISTRATION NUMBER IN THE BOX OUTLINED BY HEAVY BORDER BELOW.

COMPLETE THIS BOX (Family name)	(Given name)	(Middle name)	(Alien registration number)